Le clan des Macallister

ANNE MATHER

Le clan des Macallister

COLLECTION AZUR

Cet ouvrage a été publié en langue anglaise
sous le titre :
TIDEWATER SEDUCTION

Traduction française de
MARIE-NOËLLE TRANCHART

83-85, boulevard Vincent-Auriol, 75013 Paris — Tél. : 45 82 22 77
ISBN 2-280-04074-3 — ISSN 0993-4448

1.

Ça ne pouvait pas être *lui* ! Et pourtant — hélas ! — elle ne se trompait pas. C'était bien Cole Macallister qui traversait la terrasse et qui se dirigeait... droit sur elle !

Non, il n'y avait pas d'erreur possible. Il l'avait reconnue. D'autant que Joanna était à peu près la seule à prendre son petit déjeuner à cette heure tardive. La plupart des autres clients de cet hôtel de luxe peaufinaient leur bronzage sur la plage ou autour de la piscine.

Joanna, elle, n'avait pas besoin de se donner tant de mal. Avec sa peau mate qui devenait très vite couleur pain d'épice, elle s'estimait privilégiée. D'ailleurs, son oncle Charles la taquinait souvent à ce propos : « Un petit pruneau dans une famille de blonds ! » se plaisait-il à répéter. La génétique réserve parfois des surprises...

Jusqu'à son mariage, ces plaisanteries n'avaient pas spécialement dérangé Joanna. Mais, après son divorce, la jeune femme avait perdu toute confiance en elle et la moindre critique la blessait. Avec le temps, heureusement, elle avait réussi à recouvrer un certain équilibre.

Un équilibre que l'apparition inattendue de Cole Macallister risquait de compromettre sérieusement. Déjà, Joanna sentait son sang-froid l'abandonner, et si elle s'était écoutée, elle aurait hurlé, trépigné... avant de s'enfuir pour éviter la confrontation.

Heureusement, elle parvint à se dominer. Et au prix d'un immense effort, elle réussit à esquisser un petit sourire. « Après tout, j'ai tout autant que lui le droit de me trouver ici ! » songea-t-elle en croisant ses longues jambes dorées.

— Bonjour, Joanna.

— Bonjour, Cole, répondit-elle d'un ton qu'elle voulait léger. Comment vas-tu ?

— Très bien, merci.

Il paraissait en pleine forme. Plus beau, plus séduisant, plus viril et plus sensuel que jamais, avec son visage bien dessiné, ses yeux d'un bleu tirant sur le violet, frangés de cils épais presque bruns — alors que ses cheveux étaient blonds. D'un blond si pâle qu'ils paraissaient argentés. Il étaient trop longs — comme autrefois ! — et frôlaient le col de sa chemise. Cole Macallister n'était pas le genre d'homme qui passait inaperçu ! Ni le genre d'homme que l'on pouvait oublier... Pourtant, Joanna avait fait de son mieux pour le chasser de ses pensées au cours de ces trois dernières années.

— Je peux m'asseoir à côté de toi ? demanda-t-il.

« Non ! eut-elle envie de crier. Je ne veux ni te voir ni te parler ! Va-t'en ! Ta seule présence suffit à gâcher la magie des îles ! »

Cependant, elle jugea préférable de garder ses réflexions pour elle. Il n'était pas question de se conduire de manière aussi puérile.

— Assieds-toi, dit-elle du bout des lèvres.

— Merci.

Avec cette élégante souplesse qui surprenait toujours chez un homme de sa taille, Cole s'assit à califourchon sur une chaise. Joanna sursauta quand, par inadvertance, il lui frôla la cuisse. Sans paraître remarquer le brusque mouvement de recul de la jeune femme, Cole contempla la plage de sable blanc bordée de cocotiers.

— C'est beau, n'est-ce pas? murmura-t-il.

Machinalement, Joanna jeta un coup d'œil au lagon turquoise de cette île ensoleillée.

— Très beau, répondit-elle enfin. J'ai toujours aimé les Bahamas.

— Je sais. Ta famille possédait une villa ici, je crois?

— Plus maintenant. De toute façon, c'est sans importance. Et je suis sûre que cela n'a rien à voir avec les raisons de ta présence à l'hôtel Coral Beach.

— En effet. C'est pour toi que je suis venu.

Stupéfaite, Joanna le dévisagea pendant quelques secondes.

— Tu savais que j'étais ici? finit-elle par demander.

— Cela me paraît évident, non?

— Pas du tout!

A ces mots, la jeune femme sentit renaître sa nervosité, et elle serra les mains si fort que ses ongles pénétrèrent dans sa paume.

S'exhortant au calme, elle reprit la parole plus doucement :

— Je suppose que tu es venu en vacances sur cette île et que notre rencontre est due au hasard...

— Tu crois qu'il existe de pareilles coïncidences dans la vie? répliqua-t-il.

Joanna aurait voulu se lever, s'éloigner et prétendre que l'apparition inattendue de Cole n'était qu'un rêve. Un cauchemar, plutôt ! Mais elle l'avait déjà fui une fois et elle n'avait aucune intention de recommencer. D'ailleurs, cet homme ne possédait plus aucune influence sur elle, il ne pouvait plus la faire souffrir.

Sans hâte, la jeune femme prit un croissant dans le panier tapissé d'une serviette de lin. Puis elle se mit en devoir de le beurrer.

Elle ne se pressait pas, s'efforçant de ne pas regarder Cole. Mais elle devinait qu'il ne la quittait pas des yeux. Pourquoi agissait-il ainsi ? Que lui voulait-il ?

— Tu fais la tête ? demanda-t-il.

— Non, je me pose des questions, tout simplement. Qui a bien pu te dire que je me trouvais ici ?

— Ma tante Grace. Nous sommes restés en relation. Ce n'est pas parce qu'elle est anglaise qu'elle prendra automatiquement ton parti, tu sais...

Joanna serra les dents. « J'aurais dû m'en douter ! » songea-t-elle. Les Macallister formaient un véritable clan et pour eux, les liens du sang comptaient plus que tout.

— Il ne faut pas lui en vouloir, déclara Cole. Elle n'avait pas le choix... Surtout dans de telles circonstances !

Furieuse, la jeune femme délaissa son croissant et se servit un peu de café. Mieux que quiconque, Grace savait que Joanna voulait oublier Cole — et aussi qu'elle avait terriblement besoin de vacances, après avoir travaillé pendant deux ans sans jamais s'octroyer un jour de repos. A présent que les tableaux étaient prêts pour l'exposition, Joanna pensait pouvoir se détendre un peu. D'ailleurs, elle n'avait même pas emporté un pinceau ! Mais le répit semblait bien compromis...

— Où est Sammy-Jean ? demanda-t-elle en regardant autour d'elle. Parce que tu l'as épousée, n'est-ce pas ?

— Comme si tu n'étais pas au courant !

Avec un rire forcé, elle déclara :

— Sammy-Jean Macallister... Il faut avouer que ça sonne mieux que Joanna Macallister !

— Je ne suis pas venu te parler de Sammy-Jean !

Avec satisfaction, Joanna constata que Cole avait pâli, et que ses yeux étincelaient de colère. C'était bien la première fois qu'elle réussissait à lui faire perdre son calme !

Mais très vite, il reprit le contrôle de lui-même.

— Mon père est mourant, annonça-t-il d'un ton grave.

Prise de court, Joanna ne sut que dire. Ryan Macallister lui avait toujours paru invincible, et elle avait peine à croire qu'il soit aussi vulnérable que le commun des mortels. Mais que Cole ne s'attende pas qu'elle éprouve de la compassion pour Ryan Macallister ! Cet homme ne lui avait jamais témoigné la moindre sympathie... Dans ce cas, pourquoi la nouvelle de sa maladie la toucherait-elle ?

— Il veut te voir, murmura Cole.

— Tu te moques de moi ?

— Pas du tout.

— Voyons, c'est ridicule ! Ton père m'a toujours détestée !

— Peut-être... Mais quoi qu'il en soit, il désire que tu te rendes à son chevet. C'est la raison pour laquelle je suis venu te trouver.

— Si tu crois que je vais interrompre mes vacances

pour aller voir un vieil homme qui m'a toujours détestée, tu te fais des illusions!

Pendant quelques instants, ils s'affrontèrent du regard, comme deux adversaires prêts au combat et déterminés à ne pas céder d'un pouce.

— Tu n'as donc pas de cœur? demanda Cole. Maman m'avait bien dit que tu ne viendrais pas, mais je ne l'avais pas crue.

— Eh bien à présent, tu sais à quoi t'en tenir!

Sans plus tarder, Joanna se leva.

— J'aimerais pouvoir prétendre que j'ai été heureuse de te revoir, Cole. Mais je n'ai jamais su mentir...

Une exclamation de colère échappa à Cole, puis il se mit debout à son tour, barrant le passage à la jeune femme. Joanna était grande, mais à côté de son ex-mari, elle se sentait toute petite.

— Cette comédie est ridicule, Cole, déclara-t-elle d'un ton sec. Où espères-tu en venir? En aucun cas tu ne peux me forcer à t'accompagner.

— Vraiment?

Sans ciller, Joanna soutint le regard qu'il fixait sur elle. Cole voulait paraître sûr de lui, mais en réalité, elle le sentait mal à l'aise. Et cette situation procurait à Joanna un délicieux sentiment de triomphe.

— Laisse-moi passer, ordonna-t-elle. De toute façon, tu m'as déjà fait tant de mal que je ne crains plus rien. Par conséquent, si tu veux bien m'excuser...

Joanna fit un pas de côté, et à son grand soulagement, Cole ne chercha pas à la retenir. Très droite, la tête haute, elle traversa la terrasse et entra dans l'hôtel. Elle savait qu'il la suivait des yeux, et pour rien au monde elle n'aurait jeté un regard en arrière.

Mais dès qu'elle eut pénétré dans le hall, elle sentit

le remords la gagner. Car en dépit des dires de Cole, elle n'était pas insensible. Un vieil homme mourant demandait à la voir… et elle refusait?

Indécise, Joanna s'arrêta près de la réception. Que faire à présent? Elle était bien trop bouleversée pour aller s'installer tranquillement sur la plage avec un livre, comme elle en avait tout d'abord eu l'intention.

Elle prit l'ascenseur pour monter au quatrième étage, où se trouvait sa chambre, une grande pièce luxueuse dotée d'une immense terrasse d'où l'on avait une vue spectaculaire sur l'océan.

Tout en enfilant un maillot une pièce rouge vif, Joanna se demanda où Cole était descendu. Dans cet hôtel? Possible… Toujours très sûr de lui, il avait dû réserver une chambre pour une nuit, persuadé qu'il n'aurait qu'à claquer des doigts pour qu'elle accepte de le suivre.

Soudain, elle fut tentée de rester enfermée dans sa chambre. Au moins, il ne viendrait pas l'y chercher. Mais elle repoussa bien vite cette idée. Il n'y avait aucune raison pour qu'elle évite Cole Macallister. N'était-elle pas désormais capable de lui tenir tête? Elle venait d'en fournir la preuve à l'instant.

Et puis, il ne pouvait pas prolonger son séjour ici. En mai, il y avait toujours énormément de travail à la plantation. Et si son père était malade…

La sonnerie du téléphone retentit tandis qu'elle enfilait un T-shirt. Au moment de décrocher, Joanna hésita. Et si Cole tentait une nouvelle fois de la convaincre de l'accompagner?

Mais non, il s'agissait plus vraisemblablement d'un appel de sa mère. Depuis qu'elle avait divorcé, ses parents s'inquiétaient sans cesse à son sujet. Et lorsqu'elle avait annoncé son intention de partir seule en vacances, ils n'avait guère paru enthousiastes.

Le téléphone continuait de sonner, et Joanna se décida enfin à s'emparer du combiné.

— Allô ?

— Joanna ? C'est toi ?

— Oui. Bonjour, Grace, dit-elle avec réticence.

— Ta voix est si claire... On ne penserait jamais que tu te trouves à des milliers de kilomètres d'ici !

Joanna ne souffla mot, et elle devina qu'à l'autre bout de la ligne, Grace se posait des questions.

— Je sais ce que tu penses, Joanna, murmura-t-elle enfin. Mais essaie de te mettre à ma place... Après tout, Ryan est mon beau-frère. Alors lorsque Cole m'a demandé où il pouvait te joindre, j'ai bien été obligée de le lui apprendre.

Joanna garda le silence. A vrai dire, elle comprenait la position délicate dans laquelle se trouvait Grace. Cette dernière avait épousé le frère de Ryan Macallister — et son mariage n'avait pas été plus réussi que celui de Joanna. Cependant, Grace avait dû rester en relation avec les Macallister car elle avait eu deux fils de son mariage avec Luke : Evan et Luke junior.

— Joanna ? Tu es toujours là ?

La question de Grace fit sursauter Joanna. En réalité, si les choses en étaient là aujourd'hui, elle ne pouvait s'en prendre qu'à elle-même. Après sa rupture avec Cole, elle aurait dû refuser de continuer à exposer ses toiles dans la galerie de Grace. Pourquoi n'avait-elle pas cherché ailleurs ? Hélas ! Il était trop tard pour regretter. Sans compter qu'il y avait maintenant dix ans qu'elle connaissait Grace, et elle lui devait tout, ou presque. Avant qu'elle ne devienne une aquarelliste réputée, Grace avait été la seule à croire aux dons de Joanna.

Mais c'était Grace aussi qui lui avait présenté Cole...

— Joanna, tu m'entends?

— Oui. Bon, écoute, ce qui est fait est fait... Je suppose que tu n'as pas eu le choix. Il n'empêche que tu aurais quand même pu me prévenir! Imagine le choc que j'ai reçu lorsque je l'ai vu!

— Parce que tu as vu Cole? s'écria Grace.

— Evidemment! A quoi t'attendais-tu?

— Eh bien... en fait, je ne sais pas. Lorsqu'il m'a appelée, je n'ai pas eu l'impression qu'il voulait quitter Tidewater.

— Sans doute a-t-il changé d'avis.

— Tu vas aller là-bas avec lui?

— Non.

— Non? Joanna, réfléchis! Ryan va mourir!

— Et alors?

— Il a un cancer! D'après les médecins, il ne lui reste plus que quelques semaines à vivre. Joanna, tu n'as donc aucune compassion? Après tout, c'est le père de Cole! D'accord, vous avez eu quelques dissensions autrefois, mais...

— Il me détestait, ce qui était bien réciproque! Et tu veux que je témoigne de la compassion à un homme pareil?

A l'autre bout de la ligne, Grace poussa un profond soupir.

— Tu le hais? demanda-t-elle.

— Pas toi?

— Non. Oh! Je sais ce que tu vas dire... Si Ryan ne s'était pas opposé à toute velléité d'indépendance de ma part, Luke n'aurait jamais trouvé le courage de me présenter cet ultimatum. C'est lui qui m'a demandé de choisir entre rester à Tidewater ou mener ma vie à ma guise. Ryan a peut-être préparé les munitions, mais c'est Luke qui a tiré.

— Oui, mais...

— Ecoute-moi, Joanna ! Je n'ai jamais regretté ma décision. Bien sûr, mes enfants me manquent. Mais ils n'étaient plus des bébés lorsque je suis partie ! Et puis, diriger la galerie, devenir l'associée de Ray... tout cela me passionne. Ray et moi, nous avons tant de choses en commun ! Bien plus que je n'en ai jamais eu avec Luke.

— Je comprends. Cela dit...

— Chez moi, il n'y a aucun sentiment d'amertume. C'est pourquoi je peux me permettre d'éprouver de la pitié à l'égard de Ryan.

— Pas moi.

— Evidemment, tu aimais tellement Cole...

— C'est bien fini ! Tout l'amour que je lui portais a disparu à la mort de Nathan.

D'un ton plein de défi, Joanna lança :

— Aurais-tu oublié Nathan, par hasard ?

— Non, bien sûr que non. Je suis navrée, Joanna. Je n'ai pas à te dicter ta conduite. Agis selon tes convictions.

Soudain, Joanna se sentit coupable. Pas envers Ryan Macallister, mais plutôt envers Grace. Elle lui avait parlé si durement... Mieux valait changer de sujet.

— Où en es-tu de la préparation de l'exposition ? demanda-t-elle. Tu crois qu'elle marchera ?

— Tu plaisantes ? Les meilleurs critiques m'ont déjà annoncé qu'ils ne manqueraient le vernissage pour rien au monde. Et rends-toi compte, Howard Jennings en personne y assistera !

— Vraiment ? Mais c'est magnifique !

L'enthousiasme de Joanna n'était pas feint. Savoir que le célèbre critique d'art qui présentait tous les mois un programme artistique à la télévision serait là lui procurait une joie immense. Cependant la jeune femme ne pouvait s'empêcher de penser à ce vieil homme à l'agonie, terrassé par la plus sournoise des maladies, et elle fut reconnaissante à Grace d'abréger leur entretien.

Malheureusement, à peine Grace eut-elle raccroché que les fantômes du passé vinrent hanter Joanna. Des souvenirs de Cole, de son père et de Tidewater défilèrent dans sa tête. Ne parvenant pas à les en chasser, Joanna saisit un sac de plage et y jeta d'un geste rageur un tube de crème solaire, un livre et des lunettes de soleil. Puis elle sortit de sa chambre.

2.

Il faisait chaud près de la piscine. Encore plus chaud que sur la plage, où une brise légère tempérait quelque peu la moiteur étouffante de l'air. Joanna s'étira sur sa chaise longue, refusant de penser à autre chose qu'à ce qu'elle allait manger pour le déjeuner.

Elle s'était installée un peu à l'écart afin que l'on se rende bien compte qu'elle ne cherchait pas l'aventure. Car Joanna ne flirtait pas. A Londres, ceux qui l'invitaient au théâtre ou au restaurant savaient à quoi s'en tenir. Pas question d'aller plus loin que ce qui avait été prévu au programme. La jeune femme avait assez souffert pour ne pas souhaiter renouveler une pénible expérience.

Joanna somnolait à moitié lorsqu'elle entendit que l'on déplaçait la chaise longue voisine de la sienne. Elle jeta un rapide coup d'œil de côté et, entre ses paupières mi-closes, elle discerna un short bleu marine, des jambes musclées, très bronzées...

Irritée, elle ferma les yeux, feignant de ne pas remarquer la présence de cet intrus. Il y avait au moins cinquante chaises longues libres autour de la piscine ! Et les femmes seules ne manquaient pas non plus. Pourquoi fallait-il que l'on vienne l'importuner, elle ?

Soudain, l'homme lui toucha le bras, et Joanna s'assit brusquement, bien décidée à le remettre à sa place. Mais les mots moururent sur ses lèvres... Car ce n'était pas un quelconque don Juan qui venait de s'allonger à côté d'elle, mais Cole.

— En tout cas, je constate que tu n'encourages pas les avances, ma chère Joanna. Un bon point pour toi.

— Que fais-tu ici ? J'étais persuadée que tu avais pris le premier vol en partance pour la Caroline du Sud !

D'un geste nonchalant, Cole croisa les bras derrière la nuque.

— Eh bien, non. Comme tu le vois, je suis toujours à l'hôtel Coral Beach.

— Si tu penses que je changerai d'avis, tu te trompes, Cole.

— Je ne t'ai encore rien demandé. Alors calme-toi, Joanna. Tu ne trouves pas qu'il fait trop chaud pour se mettre en colère ?

La jeune femme s'allongea de nouveau, s'efforçant en vain de recouvrer un peu de sang-froid. De temps à autre, elle observait son voisin à la dérobée. Il avait un petit serpent bleu tatoué sur l'épaule. Une fantaisie d'adolescent... Cole lui avait raconté autrefois qu'il s'était fait fouetter par son père lorsqu'il était rentré chez lui en exhibant fièrement ce tatouage.

Malgré elle, Joanna se sentit troublée par la proximité de son ex-mari, et elle se détourna. Ce n'était tout de même pas la première fois qu'elle voyait Cole à moitié nu ! N'avaient-ils pas vécu ensemble pendant presque deux ans ?

— Tu veux boire quelque chose ? demanda-t-il soudain.

Brusquement arrachée à ses pensées, Joanna sursauta.

— Pardon ?

— Je vois une serveuse, là-bas... Tu n'as pas envie d'une boisson glacée ?

— Oui, j'ai soif. Mais tu n'as pas besoin de...

— Laisse-moi m'en occuper.

Voyant la jeune serveuse approcher, Cole se leva et lui passa sa commande.

— Tu n'avais pas besoin de bouger ! s'exclama Joanna lorsque la jeune fille se fut éloignée.

— Je sais. Mais ça ne coûte rien d'être poli.

— Aurais-tu pris la peine de te lever si un serveur s'était présenté ?

En guise de réponse, Cole se contenta d'adresser à la jeune femme un sourire enjôleur, et de la détailler de la tête aux pieds.

— Probablement pas, murmura-t-il enfin. Seigneur, que tu es agressive !

Mal à l'aise, Joanna fit mine de regarder les ébats d'un très jeune couple dans la piscine. Et soudain, les souvenirs l'assaillirent. Elle se revit jouant avec Cole de la même façon... Autrefois, avant que les choses ne tournent mal.

La serveuse leur apporta deux grands verres de jus de fruits. Cole les lui prit des mains et tendit le sien à Joanna.

— Merci, dit-elle sans enthousiasme avant de tremper ses lèvres dans la boisson glacée.

Cole buvait son jus de fruits à petites gorgées, sans cesser de contempler Joanna.

— Tu as l'air en pleine forme, déclara-t-il enfin.

— Toi aussi. Je suppose que Sammy-Jean a une très bonne influence sur toi.

Une fugitive expression de colère se refléta dans les yeux de Cole.

— Tu as toujours été une très jolie femme, reprit-il. Et je trouve que tu as encore embelli.

— Que veux-tu, la vie à Londres me convient parfaitement. Le climat n'est peut-être pas aussi clément qu'en Caroline du Sud. Mais on y trouve quelques compensations...

— Je suppose que Grace est de ton avis?

— Probablement.

Les nerfs à vif, Joanna se demandait où Cole voulait en venir. Il se montrait décidément trop courtois, et cette attitude ne lui disait rien qui vaille.

— Comment... comment va ta mère? demanda-t-elle.

— Très bien, merci. Certes, elle vieillit, comme nous tous. Mais elle n'a pas ralenti pour autant son rythme de travail.

— Et Ben? Et Joe? Et les jumelles? Charley sait-elle nager maintenant?

Pendant un long moment, Cole scruta le visage de la jeune femme, et elle finit par baisser les yeux.

— Ça t'intéresse? demanda-t-il. Vraiment?

— Bien sûr...

— Ils se portent tous à merveille. Joe est marié et sa femme attend un bébé. Charley et Donna, les jumelles, vont au lycée depuis l'année dernière. Sandy les y rejoindra à la rentrée. Voilà... On a fait le tour de la famille. Satisfaite?

D'un mouvement gracieux, Joanna rejeta ses longs cheveux noirs en arrière, et essuya une goutte de sueur qui perlait à son front.

— En effet, je suis heureuse d'avoir de leurs nouvelles, murmura-t-elle. Tu sais, j'aimais bien tes frères et sœurs. Et à l'époque, je pensais que c'était réciproque...

— Je le crois...

D'un air songeur, Cole fit tourner son verre dans sa main.

— Charley parle souvent du jour où vous étiez restées coincées sur l'île Palmer, déclara-t-il. Si tu n'avais pas traversé le détroit à la nage pour demander de l'aide, vous auriez pu être emportées par le courant.

A ces mots, Joanna haussa les épaules.

— Penses-tu ! Tu t'étais déjà aperçu que nous avions disparu, répliqua-t-elle. Et même si tu n'avais rien remarqué, l'eau aurait ramené le bateau sur la berge. A ce moment-là, tu aurais bien deviné où nous nous trouvions.

— Oui, mais peut-être trop tard...

Joanna n'ajouta rien. Mais comme elle avait eu peur ce jour-là ! Elle se revit nageant de toutes ses forces contre le courant, se demandant si elle parviendrait à atteindre son but. Quand elle avait enfin touché la rive, son épuisement était tel qu'elle avait été incapable de se mettre debout. Heureusement, Cole et ses frères étaient déjà partis à leur recherche. Sinon...

Les crues de la Tidewater étaient imprévisibles. Ce jour-là, ses flots avaient recouvert l'île Palmer, et personne n'aurait pu braver les éléments déchaînés. La petite Charley moins que quiconque. A l'époque, elle n'avait que dix ans et ne savait pas nager.

En se remémorant cet épisode qui aurait pu tourner au drame, Joanna sentit un frisson de peur rétrospective la parcourir. S'en apercevant, Cole tendit la main vers elle, mais elle esquissa un brusque mouvement de recul.

Il n'insista pas et, se levant, il s'empara des verres.

— Je vais les rapporter au bar, déclara-t-il.

A peine se fut-il éloigné que Joanna s'étendit sur le ventre, les yeux clos, feignant le sommeil. Avec un peu de chance, Cole comprendrait le message et la laisserait en paix. Ne s'était-il pas encore aperçu qu'il perdait son temps en restant aux Bahamas? Rien ni personne ne pourrait la contraindre à retourner à Tidewater. Jamais!

— Tu vas attraper un coup de soleil, murmura soudain Cole à côté d'elle.

— Non, répliqua-t-elle sans ouvrir les yeux. J'ai la peau mate, je ne crains rien.

— Peut-être, mais tu n'as pas l'habitude de ce climat.

Pendant quelques secondes, elle l'entendit qui fouillait dans ses affaires. Que faisait-il?

Soudain, il s'assit à côté d'elle et elle tourna la tête, furieuse.

— Mais que... que...

Il brandit un tube de crème solaire.

— C'est à toi? Je l'ai trouvé au fond de ton sac. Allons, arrête de gigoter!

Sans plus tarder, Cole se mit en devoir de lui enduire le dos de crème scolaire. Si Joanna s'était écoutée, elle lui aurait arraché le tube des mains et l'aurait lancé dans la piscine. Pourtant, elle se laissa faire... Les mains de Cole sur sa peau nue avaient un étonnant pouvoir de relaxation, et pendant quelques instants, elle savoura le bien-être que ce massage lui procurait. Jusqu'au moment où un frisson la parcourut, un frisson dont elle préféra ignorer la cause.

— Ça suffit, déclara-t-elle fermement. De toute façon, je n'avais pas l'intention de passer la journée au soleil.

— Non?

Sans insister davantage, Cole reprit sa place sur la chaise longue voisine.

— Quel était ton programme? demanda-t-il.

— Cela ne te regarde pas.

Un large sourire aux lèvres, Cole reboucha le tube de crème solaire.

— J'posais juste une p'tite question, m'dame.

— Et je te répète que mon emploi du temps ne te concerne en rien. Bon! Tu ne vas pas t'éterniser ici? Tu n'as pas d'avion à prendre?

— Désolé, pas avant demain.

— J'aurais dû m'en douter! Tu avais tout prévu... Même la garde-robe adéquate.

— Tu parles de mon short? Je l'ai acheté ce matin à la boutique de l'hôtel. Je n'ai pas l'intention de rester longtemps loin de Tidewater.

D'un geste vif, Joanna remit ses lunettes de soleil. Celles-ci lui apportaient un sentiment illusoire de protection.

— Un bon endroit pour peindre..., murmura Cole en contemplant l'océan. Grace m'a dit que tu allais bientôt exposer?

La jeune femme tressaillit. Ainsi, il était au courant de cela aussi!

— Oui, répondit-elle. Le vernissage aura lieu quinze jours après mon retour.

— Je devrais peut-être t'acheter un tableau, non? Ce serait un bon investissement.

— Tu te moques de moi? s'écria Joanna sans réfléchir.

— Pas du tout. Je pourrais même me vanter... « Figurez-vous que l'artiste n'est autre que mon ex-femme! » Cela ajouterait une certaine valeur à l'œuvre si je décidais un jour de la revendre.

— C'est... c'est malsain!

— Tu trouves? Pourquoi? Ça m'ferait tant plaisir d'avoir un p'tit souvenir de vous, m'dame.

— Ne parle pas comme ça.

— Comment, comme ça?

— Comme si... Oh! après tout, ça m'est égal.

Pendant quelques instants, ils se turent. Lorsque Cole se remit à parler, ce fut d'une voix basse, rauque et terriblement sensuelle.

— Tu veux dîner avec moi ce soir?

— Pardon?

— Pourquoi pas?

— Eh bien..., je ne peux pas, déclara-t-elle.

— Tu es déjà prise?

— Non.

Elle n'avait même pas cherché à mentir. Après tout, ils séjournaient dans le même hôtel, et en entrant dans le restaurant, Cole la verrait forcément seule à sa table. Bien sûr, elle aurait pu aller ailleurs, ou bien se faire monter son repas, mais il était trop tard.

— Tu as peur de passer une soirée avec moi, Joanna?

— Quelle idée!

— Alors pourquoi...

— Parce que je ne pense pas que ton père ou Sammy-Jean apprécieraient que nous dînions ensemble.

— C'est la raison de ton refus? Tu ne veux pas offenser mon père?

Joanna ôta ses lunettes de soleil d'un geste brusque, et elle regarda Cole droit dans les yeux.

— Pourquoi insistes-tu? demanda-t-elle. Je sais que tu n'as aucune envie de dîner avec moi.

Leurs regards se rencontrèrent, et l'espace d'une seconde, Joanna eut l'impression de se noyer dans les yeux de Cole.

— Justement, si, j'ai envie de dîner avec toi, Joanna. En souvenir du bon vieux temps.

Les doigts de la jeune femme se crispèrent sur la monture de ses lunettes. Elle savait combien Cole pouvait se montrer obstiné ! Pour parvenir à ses fins, il était prêt à tout. Cette conversation, puis le jus de fruits, et enfin le massage n'avaient qu'un seul but : l'amadouer. Il avait dû faire un terrible effort pour paraître intéressé par les projets d'exposition dont Grace lui avait parlé ! Car le fait que Joanna peigne l'avait toujours irrité. D'ailleurs, autrefois, la peinture représentait une source de conflit entre eux.

Mais de l'eau avait coulé sous les ponts depuis. Et l'opinion de Cole ne lui importait plus. Alors pourquoi ne pas accepter son invitation ? Il pourrait difficilement parler de la maladie de son père entre la poire et le fromage... Quand avait-il l'intention d'aborder de nouveau le sujet ? Quand chercherait-il à la persuader de revenir à Tidewater ?

Elle s'attendait à un siège en règle. Et elle saurait résister ! N'était-elle pas devenue insensible au charme de son ex-mari ? Elle se sentait capable de lui tenir tête. Et qu'il serait bon de mener la danse, de se venger un peu de tout le mal qu'il lui avait fait !

A peine eut-elle formulé cette pensée qu'une autre se présenta à son esprit : elle allait jouer avec le feu... Ne risquait-elle pas de s'y brûler les ailes ?

Non, tout était fini avec Cole. Pour de bon, pour toujours. Et si son corps avait réagi en présence de son ex-mari, cela ne signifiait rien. Sinon qu'elle était une femme, avec des réactions de femme — des réactions très naturelles.

— D'accord, déclara-t-elle en remettant ses lunettes. En souvenir du bon vieux temps...

Une expression de surprise se peignit sur le visage de Cole. De toute évidence, il ne s'attendait pas à une reddition aussi rapide !

— Très bien. On se retrouve à 19 heures dans le hall de l'hôtel. D'accord ?

Joanna se leva et rassembla ses affaires.

— D'accord.

3.

Joanna avait eu l'intention de déjeuner près de la piscine. Mais craignant de rencontrer Cole une fois de plus, elle décida de faire un peu de tourisme à Nassau.

« C'est l'occasion ou jamais de visiter la capitale des Bahamas », se dit-elle en ouvrant la portière du premier taxi de la file qui attendait devant l'hôtel.

Un peu plus tard, elle se promena dans les rues animées de la ville avant de flâner au marché où l'on trouvait quantité d'objets de fabrication artisanale. Là, Joanna effectua quelques achats : un paréo de couleur vive, des bracelets en coquillages, et un bikini imprimé de fleurs exotiques — très différent du sage maillot une pièce qu'elle portait le matin même.

Avant de regagner l'hôtel, elle s'offrit une glace et alla la déguster sur le port. Un luxueux paquebot de croisière était amarré à quai. Joanna s'assit sur le muret de la jetée et, tout en dégustant sa glace, elle contempla l'activité fébrile qui régnait autour de ce grand bateau blanc. Les passagers allaient et venaient comme des fourmis, accostés par les vendeurs ambulants dès qu'ils mettaient pied à terre. Des membres d'équipage en uniforme impeccable déambulaient sur le pont, tandis que les dockers chargeaient des caisses de ravitaillement.

Devant ce spectacle haut en couleur, Joanna regretta de ne pas avoir emporté son carnet de croquis. L'idée d'en acheter un à Nassau l'effleura, mais elle la repoussa aussitôt. N'était-elle pas en vacances? Et même si Cole avait fait une réapparition inattendue dans sa vie, ce n'était pas une raison pour qu'elle modifie son emploi du temps. Autrefois, lorsque les choses allaient trop mal entre eux, elle se réfugiait dans son travail. Mais aujourd'hui, elle n'avait pas besoin d'échappatoire. Car elle se sentait de taille à affronter une soirée en compagnie de son ex-mari. Et elle lui prouverait qu'elle n'avait plus rien de la jeune femme inexpérimentée et vulnérable qu'il avait épousée — et dont il avait divorcé.

De retour à l'hôtel, Joanna ouvrit les portes de sa penderie et, perplexe, se demanda ce qu'elle porterait pour le dîner. Elle souhaitait paraître sûre d'elle, et provocante — mais pas trop...

Enfin, elle opta pour un fourreau court de satin vert foncé dont l'encolure, très souple, lui dégageait les épaules. Dieu merci, ses kilos superflus avaient disparu! Après son divorce, terrassée par le désespoir, elle avait abusé de l'alcool et de la nourriture. Jusqu'au moment où, se faisant horreur, elle avait décidé de réagir. Et aujourd'hui, elle pouvait être fière de sa silhouette, entretenue grâce à un régime sévère et à des séances régulières d'aérobic.

La jeune femme s'apprêtait à sortir de la salle de bains lorsque l'image du père de Cole s'imposa soudain à son esprit. Mal à l'aise, elle s'efforça de chasser cette dérangeante vision. Elle n'était pas tenue d'éprouver de la pitié pour cet homme qui lui avait causé tant de chagrin...

Déterminée à ne pas se laisser troubler par ce genre de considération, elle jeta un dernier coup d'œil au miroir et hocha la tête avec satisfaction. Le résultat souhaité lui semblait obtenu. Elle paraissait jeune, sexy... et en même temps infiniment lointaine, presque inaccessible.

« Eh bien ! Si Sammy-Jean savait que Cole et moi allons dîner ensemble ce soir, elle en ferait une maladie ! » songea-t-elle. Mais n'était-ce pas un juste retour des choses ? Après tout, Sammy-Jean n'avait pas hésité à séduire Cole, alors qu'il était marié...

Songeuse, Joanna quitta sa chambre. Au lieu de descendre jusqu'au rez-de-chaussée, elle s'arrêta au premier étage. Une mezzanine dominait le vaste hall débordant de plantes et de fleurs tropicales. Joanna se pencha et, d'un coup d'œil, balaya le hall de l'hôtel Coral Beach. D'un côté se trouvait la réception, de l'autre un bar, au fond des boutiques de luxe...

Cole était déjà là. Il l'attendait debout près de la fontaine.

A pas lents, Joanna descendit alors le large escalier. Elle prenait son temps, afin que Cole ait tout loisir de l'admirer... Car elle voulait qu'il l'admire, qu'il se rende bien compte qu'elle avait réussi à surmonter sa souffrance, à vivre sans lui, à redevenir une femme attirante.

Comme elle l'avait prévu, Cole la vit tout de suite. Mais il ne vint pas immédiatement à sa rencontre. Les yeux brillants, il la fixait comme s'il avait voulu l'hypnotiser.

En dépit de la tiédeur de la nuit, il portait une

veste. Ce qui signifiait sans doute qu'il avait prévu de dîner dans un établissement de luxe. Les restaurants élégants tenaient en effet à ce que les clients respectent cette petite formalité.

Une fraction de seconde, Joanna fut tentée de rebrousser chemin. Cole était si séduisant, ce soir, qu'elle redouta soudain de ne pas parvenir à feindre l'indifférence. Mais il le fallait.

D'une démarche légèrement hésitante, elle se dirigea vers lui. Sous le regard intense dont il la couvait, Joanna se sentait de plus en plus mal à l'aise. Que pensait-il en cet instant ? Impossible de le savoir. Son visage n'exprimait aucune émotion. A tel point que la jeune femme commença à douter d'elle et du pouvoir qu'elle croyait détenir sur lui. Mais lorsqu'elle surprit une lueur admirative dans les prunelles de Cole, elle recouvra un peu d'assurance. Soit, Cole l'avait abandonnée pour Sammy-Jean... Mais il ne restait pas insensible à sa première femme.

— Bonsoir ! lança-t-elle d'un ton qu'elle espérait enjoué. J'espère que tu ne m'as pas attendue trop longtemps...

Cole haussa les épaules.

— De toute façon, je n'avais rien de mieux à faire, répliqua-t-il.

Pendant quelques secondes, il détailla la tenue de la jeune femme, s'attardant plus qu'il n'était nécessaire sur son décolleté, mais il ne fit aucun commentaire. Soudain, il parut se désintéresser d'elle, et il leva les yeux vers la mezzanine.

— J'ignorais qu'il y avait des chambres au premier étage, murmura-t-il.

Déçue qu'il ne lui ait pas adressé le moindre compliment sur sa tenue, la jeune femme se rembrunit.

— Quelle importance? demanda-t-elle d'un ton sec.

— Je croyais que tu étais logée au dernier étage. Mais en te voyant descendre de la mezzanine, j'ai pensé que je m'étais trompé.

Cette fois, Joanna dissimula un sourire de triomphe. Bien entendu, Cole avait cherché à savoir où était sa chambre...

— Non, lorsque l'ascenseur s'est arrêté, j'ai cru être arrivée en bas et je suis sortie, prétendit-elle. Mais peu importe. Où m'emmènes-tu dîner?

— Au club Commodore. Le restaurant est de tout premier ordre. Et ensuite, si tu en as envie, nous pourrons faire un tour au casino.

— Parfait! On y va?

D'autorité, Joanna glissa son bras sous celui de Cole, qui se raidit. De toute évidence, il ne s'attendait pas à la voir adopter une telle attitude. Mais il faudrait bien qu'il s'y habitue. Car ce soir, elle avait décidé de mener le jeu!

Une file de taxis attendait devant l'hôtel. A la demande de Cole, le portier en appela un. Joanna s'assit à l'arrière du véhicule et Cole prit place à côté d'elle — le plus loin possible, remarqua-t-elle. Pendant tout le temps que dura le trajet, ils n'échangèrent pas un mot.

Une fois arrivés à destination, Cole sortit du taxi le premier et, en parfait gentleman du Sud aux manières délicieusement désuètes, il tendit la main à son invitée pour l'aider à descendre.

« Son père en aurait fait autant, songea la jeune femme. Et son grand-père aussi — comme tous les Macallister, depuis des générations. Tradition oblige... »

Cole régla le chauffeur. Puis il prit la jeune femme par la taille et la guida vers l'escalator qui menait au bar et au restaurant.

— Veux-tu boire quelque chose avant de dîner? demanda-t-il.

— Quelle bonne idée! J'aimerais un cocktail avec beaucoup de glace. Que me conseilles-tu?

Une lueur narquoise brilla dans les yeux de Cole.

— Je crois me souvenir que tu appréciais les mint-juleps, déclara-t-il. Tu les avalais comme du petit lait pendant que papa et moi, nous parcourions le domaine.

Au prix d'un immense effort, Joanna réussit à ne pas montrer que le coup avait porté. Mais elle se jura de faire payer cet affront à Cole.

— C'est vrai, déclara-t-elle d'un ton détaché. Je reconnais qu'à l'époque, je n'étais pas de compagnie très agréable. En un sens, je comprends que tu aies préféré Sammy-Jean...

Ce fut au tour de Cole de paraître amer. Heureusement, l'arrivée du serveur fit diversion.

— Un bourbon pour moi, commanda Cole. Et un cocktail pour madame. Qu'avez-vous à lui proposer?

— Que diriez-vous d'un *Valentine spécial*? Rhum, jus d'ananas, citron vert et glace pilée. C'est délicieux!

— Je n'en doute pas, murmura Joanna d'une voix suave. Va pour un *Valentine spécial*!

Avec nonchalance, elle croisa bien haut les jambes et adressa un sourire éblouissant au serveur.

Manifestement troublé, le serveur mit quelques secondes à recouvrer ses esprits. Puis, après avoir esquissé un bref sourire, il se dirigea vers le bar.

— Tu flirtes avec les serveurs, maintenant? demanda Cole d'un ton sec.

Joanna lui adressa un regard candide.

— Moi? Mais pourquoi penses-tu une chose pareille? Serais-tu jaloux, par hasard?

Sachant pertinemment que cela agacerait Cole, elle accompagna sa question d'un petit rire de gorge. Le serveur leur apporta les boissons avant que Cole n'ait eu le temps de répliquer. Mais l'expression de colère qui se lisait sur son visage était plus éloquente qu'un long discours...

Ce dont Joanna se réjouit secrètement. Pour la première fois de sa vie, elle jouait le rôle d'une femme évaporée, perverse, sans cœur... Et elle avait ainsi l'impression de prendre une revanche sur les humiliations subies par le passé. Une revanche tardive, certes, mais ô combien grisante!

— Dis-moi, Sammy-Jean et toi, vous avez des enfants? demanda-t-elle soudain.

Elle connaissait déjà la réponse à cette question. Si Cole avait eu un enfant, elle l'aurait su par Grace. En réalité, elle s'était rendu compte que Cole détestait qu'elle mentionne Sammy-Jean, et elle avait bien l'intention de ne pas laisser passer une si belle occasion de lui faire perdre un peu de sa superbe.

— Non, répondit-il enfin. Pourtant, ce n'est pas faute d'avoir essayé!

Joanna serra son verre si fort qu'elle crut un instant qu'il allait se briser. Prenant sur elle-même, elle s'obligea pourtant à esquisser un sourire. A aucun prix elle ne devait donner à Cole l'impression qu'il venait de marquer un point. Et puis, de toute façon, qu'ils fassent l'amour dix fois par jour lui importait peu...

— Tu ne te sens pas bien ? demanda Cole d'un ton doucereux.

— J'étais plongée dans mes souvenirs, tout simplement. Tu es un très bon amant, tu sais !

Manifestement pris de court, Cole vida son verre d'un trait et fit signe au serveur de lui en apporter un autre.

— Tu veux toujours avoir le dernier mot, n'est-ce pas ? lança-t-il d'une voix cinglante. Mais que cherches-tu en ce moment, Joanna ? A me faire sortir de mes gonds ? A...

Il s'interrompit, car le serveur s'approchait de leur table avec le verre de bourbon et deux menus.

— Avez-vous l'intention de dîner au Commodore ? s'enquit-il.

En guise de réponse, Cole se contenta de hocher brièvement la tête.

— Dans ce cas, je vous laisse consulter les menus.

Tout en buvant son cocktail à petites gorgées, Joanna se mit à étudier la carte. Celle-ci était très variée. On y trouvait bien entendu des poissons locaux, des crustacés ou des fruits de mer, mais aussi toute une gamme de steaks américains.

— Que désires-tu manger, Joanna ? demanda Cole.

— Du poisson. Un filet de mérou, peut-être... Et pour commencer, du melon. Mais à vrai dire, je n'ai pas très faim...

Cole commanda également un mérou, et une salade composée en entrée.

— Et apportez à madame un autre cocktail, s'il vous plaît, dit-il au serveur. Le même. Quant à moi, je prendrai encore un bourbon.

Un second *Valentine spécial* ? Joanna s'apprêtait à

refuser, mais elle n'en eut pas le temps : le serveur s'était déjà éloigné. Songeuse, elle le suivit des yeux. Après tout, pourquoi pas? Le cocktail s'était révélé délicieux, et pas spécialement fort.

Pendant quelques instants, elle demeura silencieuse. De son côté, Cole semblait peu désireux d'engager la conversation. Sans doute redoutait-il qu'elle ne lui cherche de nouveau querelle... L'idée avait d'ailleurs effleuré la jeune femme, mais elle y renonça. Mieux valait ne pas harceler Cole à chaque instant.

— Vois-tu souvent Grace? demanda-t-il enfin.

— Ça dépend.

— De quoi?

— De mon travail. Grace ne s'intéresse qu'à ma peinture.

— Ne raconte pas d'histoires! Grace t'aime beaucoup. D'ailleurs, elle t'a toujours trouvée sympathique.

A ces mots, Joanna esquissa une petite moue.

— Peut-être, mais nos relations ne sont plus les mêmes depuis que... depuis mon divorce, déclara-t-elle.

— Vraiment? J'ai du mal à le croire. Vous avez tellement de points communs, Grace et toi...

— Tu trouves? En tout cas, jamais Grace ne se serait permis de formuler la moindre critique à l'égard de ton père, elle!

— Ce qui n'est pas ton cas! répliqua Cole.

— Parce que nous n'avons pas eu d'enfant, Cole! Ton père n'a ainsi aucune prise sur moi. Ce qui doit souverainement lui déplaire, d'ailleurs.

— Il n'attache pas d'importance à de tels détails. Ce qui lui déplaisait, c'était ta manière de t'opposer sans cesse à lui. Tu ne voulais pas admettre qu'il pouvait avoir raison.

— Par exemple, comme le jour où il a accusé Nathan d'être mon amant ?

Voyant le visage de Cole s'assombrir, elle s'empressa d'ajouter :

— Oublie ce que je viens de dire. Cela n'a plus d'importance, à présent. Au fond, ton père nous a rendu un grand service à tous les deux, non ? Oh ! Voilà le maître d'hôtel. Tu viens ? Notre table doit être prête.

4.

Dans la salle du restaurant, un orchestre antillais jouait des airs traditionnels, empêchant ainsi pratiquement toute conversation. Une situation qui convenait parfaitement à Joanna. Elle réussit tant bien que mal à terminer son melon. En revanche, le poisson lui donna plus de mal. Et pour le faire passer, elle but plusieurs verres du riesling californien glacé que Cole avait commandé.

Durant presque tout le repas, elle observa les quelques couples qui dansaient sur la petite piste aménagée au milieu de la salle, sans se soucier de savoir si Cole la regardait ou non. Peu à peu, elle en oublia où elle se trouvait, et elle dut faire un réel effort pour se concentrer lorsque le serveur vint leur demander s'ils désiraient un dessert.

Sans même consulter sa compagne, Cole répondit :

— Non, merci. Juste deux cafés, s'il vous plaît.

— Et si j'avais eu envie d'un dessert ? s'écria-t-elle.

— Je n'ai pas oublié, Joanna... Tu ne prends jamais de dessert. D'ailleurs, il vaut mieux que tu avales un bon café ! Je ne voudrais pas être obligé de te porter pour sortir d'ici.

A l'idée de se retrouver dans les bras de son

ex-mari, un délicieux frisson parcourut la jeune femme.

— Tu ferais ça? demanda-t-elle. Vraiment?

— S'il le faut... Pourquoi me poses-tu la question? Tu ne te sens pas bien?

— La tête me tourne un peu, avoua-t-elle. Mais le café va me remettre d'aplomb, j'en suis sûre....

— Tu n'as jamais supporté l'alcool, ma pauvre Joanna.

Cette fois, il n'y avait aucune ironie dans la voix de Cole, et la jeune femme se troubla. Afin de ne pas être la seule à éprouver de telles émotions, Joanna tendit la main et fit courir ses doigts sur la cuisse de Cole. Aussitôt, il sursauta violemment, et elle éclata de rire.

— Tu es toujours chatouilleux! s'exclama-t-elle. Tu viens danser avec moi? Pour me montrer que tu ne m'en veux pas...

Le voyant hésiter, elle se leva et l'obligea à se mettre debout à son tour.

— Ecoute, Joanna...

— En souvenir du bon vieux temps, comme tu as dit tout à l'heure.

— Je n'ai aucune envie de danser, et nous ferions mieux de partir. Tu as besoin de prendre l'air.

— Tu crois?

Joanna esquissa un pas de danse et tituba. Oui, elle avait un peu trop bu... Mais l'effet de l'alcool se dissiperait vite. Et pour le moment, elle se sentait tout à fait capable de maîtriser la situation.

— Une danse et ensuite, nous partirons, murmura-t-elle. D'accord? Nous dansions souvent autrefois. Tu as oublié?

Autour d'eux, les gens commençaient à les regarder

— ce qui devait profondément déplaire à Cole. D'autorité, Joanna l'entraîna vers la piste.

— Ne gâche pas tout, Cole, s'il te plaît, lui glissa-t-elle à l'oreille.

Comme à contrecœur, il lui enlaça la taille et, la maintenant le plus loin possible de lui, il commença à évoluer au rythme de la musique. Lorsqu'ils dansaient autrefois, leurs corps se lovaient l'un contre l'autre, songea soudain Joanna. A cette pensée, un long frisson la parcourut.

Puis, sans vraiment se rendre compte de ce qu'elle faisait, elle noua les bras autour de la nuque de Cole.

— Mais tu es folle ! s'exclama-t-il aussitôt. Reste tranquille, voyons !

— Pourquoi ? C'est si désagréable ?

Elle leva les yeux vers lui et comprit que s'il cherchait à la garder à distance, ce n'était pas parce que son contact lui déplaisait. D'ailleurs, le souffle court, il ne parvenait pas à détacher son regard des lèvres entrouvertes de sa compagne. Soudain, il se reprit et, saisissant la jeune femme par le bras, il la guida vers leur table.

— Nous partons, déclara-t-il. Le temps de régler l'addition...

— Et le café ?

— Tu n'auras qu'à en prendre un à l'hôtel.

Une fois dehors, elle le suivit vers le taxi d'un pas mal assuré, sans toutefois oser s'appuyer à son bras : il paraissait tellement en colère !

D'un geste brusque, Cole lui ouvrit la portière et Joanna s'effondra sur la banquette arrière.

— A l'hôtel Coral Beach, ordonna Cole au chauffeur avant de s'asseoir près d'elle.

— Tu es complètement ivre ! lança-t-il avec mépris.

Seigneur ! Et moi qui m'étais imaginé que nous pourrions avoir une conversation sérieuse...

Joanna se tourna vers lui et la masse sombre de ses cheveux glissa sur son épaule nue.

— Qu'avais-tu de si important à me dire, Cole ? Que tu me désires toujours, par exemple ?

Un instant déconcerté par la question, Cole foudroya la jeune femme du regard.

— Tu racontes vraiment n'importe quoi ! s'exclama-t-il. Seigneur, mais qu'est-ce que je suis venu faire ici ?

— Tu es venu parce que ton cher père te l'a demandé, répliqua-t-elle aussitôt. Et tout le monde sait que tu exécutes toujours les ordres de ton père. Même si pour cela, tu dois piétiner des gens...

— Tais-toi !

— Pourquoi ?

Il avait beau lui adresser un regard mauvais, Joanna n'avait pas peur de le provoquer. Elle se sentait en sécurité dans ce taxi conduit par un chauffeur de toute évidence musclé.

— Le problème, c'est que tu n'acceptes pas qu'on te dise la vérité, reprit-elle. Tu n'écoutes personne — sauf ton père. En fait, je suis même étonnée que tu te sois jamais intéressé aux femmes. A moins que ton père n'ait eu son mot à dire dans ce domaine aussi ? Et que...

Elle s'interrompit net. Cole avait levé la main, et une lueur meurtrière brillait dans ses yeux.

— Tais-toi ! répéta-t-il avec fureur.

Terrifiée, Joanna crut qu'il allait la frapper... Au lieu de cela, Cole glissa ses doigts derrière la nuque de la jeune femme et, l'attirant à lui, il lui infligea un baiser brutal. Un baiser qui, au départ, était destiné à punir mais qui se fit de plus en plus doux, de plus en plus tendre...

Pas un instant Joanna ne songea à résister. Elle se soumettait à la volonté de Cole, déjà vaincue, déjà conquise. Car son corps n'avait jamais oublié, et en cet instant, elle sentait son désir renaître, aussi intense qu'au premier jour.

Lorsque le taxi fit halte devant l'entrée brillamment éclairée de l'hôtel Coral Beach, Cole s'écarta enfin. Il donna quelques billets au chauffeur avant d'aider Joanna à sortir de la voiture. Puis, la prenant par le bras, il l'escorta jusque dans le hall.

La jeune femme avait l'impression que ses jambes la portaient à peine. Pourtant, elle réussit à marcher jusqu'aux ascenseurs. Là, Cole la lâcha et s'inclina.

Le voyant sur le point de partir, Joanna demanda d'une voix mal assurée :

— Où vas-tu ?

Cole lui adressa un regard glacial.

— Boire quelque chose, répondit-il.

Puis, d'un geste brusque, il repoussa la main de Joanna.

— Va dormir, Joanna. Si tu te voyais !

Machinalement, la jeune femme jeta un coup d'œil à la grande glace installée près de l'ascenseur, et elle s'aperçut qu'elle avait les cheveux emmêlés, les joues en feu, les yeux trop brillants.

— Tu es dans un état, ma pauvre Joanna !

Refusant de se laisser blesser par ces propos, la jeune femme le fixa avec mépris.

— Vraiment ? Et qui en est responsable selon toi ? demanda-t-elle. Que t'arrive-t-il ? Cela te contrarie de voir ce que ta faiblesse a fait de moi ? Certes, le résultat est pitoyable. Mais par ta faute, Cole !

Le visage de son ex-mari se contracta imperceptiblement. De toute évidence, il prenait sur lui, mais à en juger par le regard noir qu'il lui adressait, il était fou de rage.

— Je partirai demain matin, déclara-t-il d'un ton sec. Si tu as un minimum de bon sens, je te conseille de te pas te montrer avant mon départ.

— Très bien.

Pendant quelques secondes, ils demeurèrent silencieux.

— A quelle heure partons-nous? s'entendit-elle soudain demander. Il faut que je le sache pour avoir le temps de préparer mes bagages et de payer ma note. Je dois également téléphoner à Grace et à mes parents pour leur apprendre où je suis.

Un peu plus tard, seule dans sa chambre, Joanna maudissait le démon malin qui l'avait poussée à parler ainsi. Elle qui s'était juré de ne jamais retourner à Tidewater...

— Je suis folle! murmura-t-elle en ôtant son fourreau en satin.

Par colère, par sottise — et surtout parce qu'elle avait trop bu —, elle avait dit la première chose qui lui était passée par la tête.

Pourtant, tout était si simple! Il lui suffisait d'agiter la main dans un geste d'adieu en lançant un « bon voyage! » ironique... Et à présent, tout serait fini.

Au lieu de cela, voilà qu'elle se trouvait dans l'obligation d'accompagner Cole à Tidewater! Et elle ne pouvait même pas lui reprocher de l'avoir harcelée pour la convaincre. Non, sans faire le moindre effort, il avait mené à bien sa mission.

En proie à une grande nervosité, Joanna prit une douche froide, et elle se sentit un peu mieux. Elle téléphona alors à la réception de l'hôtel et apprit que le seul avion pour Charleston partait à 11 h 30 le lendemain matin. Par conséquent, elle devrait donc quitter l'hôtel vers 9 heures — et cela, sans même savoir s'il restait des places disponibles sur ce vol... Les bureaux des compagnies aériennes étaient fermées à cette heure de la nuit. Impossible d'obtenir le moindre renseignement.

Drapée dans une immense serviette de bain, la jeune femme se jeta sur son lit et contempla le plafond. Dormir ? Elle était trop énervée pour cela. Il lui fallait se confier à quelqu'un. Mais à qui ? Grace, évidemment. Elle seule était capable de la comprendre...

Sans hésiter davantage, Joanna s'empara du téléphone et composa le numéro de son amie. La sonnerie résonna longtemps à l'autre bout du fil. Joanna était sur le point de reposer le combiné lorsque, enfin, on décrocha.

— Allô ? dit Grace d'une voix ensommeillée.

— Grace ? C'est moi, Joanna.

— Pardon ? Mais sais-tu quelle heure il est ? Tu ne peux pas tenir compte du décalage horaire quand tu téléphones ? Réveiller les gens à l'aube !

— Pardon... Je suis désolée, Grace, je n'ai pas fait attention...

— Que se passe-t-il ? demanda Grace d'une voix radoucie. Tu as des ennuis ?

— Je... Non, rien de vraiment important. Excuse-moi de t'avoir réveillée, Grace. Je t'appellerai demain.

— Ah, non ! Attends une seconde...

Joanna entendit la voix soudain étouffée de son amie mais elle ne parvint pas à entendre ce qu'elle disait. A qui parlait-elle? A Ray, sans doute... A cette pensée, Joanna se sentit encore plus coupable de les avoir dérangés.

— Je t'écoute, Joanna. Raconte-moi tout.

— C'est Cole. Je... euh, j'ai promis de l'accompagner.

— A Tidewater?

A en juger par l'intonation de sa voix, Grace était stupéfaite. Et Joanna devait bien admettre qu'il y avait de quoi, étant donné ce qu'elle lui avait raconté.

— Oui. Je ne sais pas ce qui m'a pris, murmura-t-elle. Et à présent, je me sens piégée... As-tu une idée de la façon dont je pourrais sortir de ce guêpier?

— Je ne comprends pas. Tu as dit à Cole que tu irais à Tidewater avec lui et maintenant...

— ... je ne veux plus l'accompagner. J'étais en colère et j'ai raconté n'importe quoi.

— Mais pourquoi?

— Parce que j'étais furieuse!

Joanna avait presque crié. Mais elle ne pouvait décemment pas expliquer à Grace l'épisode du taxi... Avec le recul, d'ailleurs, elle-même avait de la peine à croire qu'elle n'avait pas rêvé. Et pourtant, non seulement Cole l'avait embrassée, mais elle avait répondu à ses baisers. Tous deux s'étaient laissé emporter par leurs sens et Dieu sait ce qui se serait passé s'ils ne s'étaient pas trouvés dans un taxi, s'ils n'étaient pas arrivés à l'hôtel, si...

Au prix d'un immense effort, Joanna parvint à calmer les battements fous de son cœur. Il fallait qu'elle dise quelque chose. Seigneur! Comme elle regrettait d'avoir appelé Grace! Mais comment aurait-elle pu deviner que Ray Marsden se trouvait là ? Jamais elle n'avait soupçonné que leurs relations avaient dépassé le stade platonique.

— Voilà, je... Cole m'a dit... euh, quelque chose, reprit-elle.

— Quelque chose d'assez important, apparemment, pour te faire changer d'avis !

Soudain, la voix de Grace prit une intonation différente.

— Du thé ? Oui, s'il te plaît, Ray. Ce serait une bonne idée. Merci.

— Je te dérange, murmura Joanna, très gênée.

— Pas du tout. Ray va me préparer une tasse de thé. Maintenant raconte-moi tout !

— Je t'ai dit...

— Que tu allais à Tidewater avec Cole. C'est impensable ! Comment a-t-il réussi à te persuader ? Tu étais pourtant bien décidée à ne pas te laisser influencer, non ?

— Je le suis toujours. Mais vois-tu... il a essayé de me séduire.

— Quand ?

— Il m'a invitée à dîner.

— Hier soir ?

— Non, ce soir... Il n'est que 23 heures ici.

— Oui, bien sûr. Bon, où est-il maintenant ?

— Dans sa chambre, je suppose... Il doit dormir.

— Ah. J'espère que tu n'as rien fait de... d'irréfléchi.

— Pardon ?

— Oh ! Tu le fais exprès ? Puisqu'il faut te mettre les points sur les « i », allons-y... Prends-tu toujours la pilule ?

La jeune femme tressaillit.

— Mais que vas-tu t'imaginer, Grace? Il ne s'est rien passé entre Cole et moi! Pour qui me prends-tu?

A l'autre bout de la ligne, Grace laissa échapper un soupir de soulagement.

— Je pensais que... Tu as dit qu'il avait essayé de te séduire, alors je croyais que... Enfin, tant mieux! Mais si ça n'a pas été plus loin, pourquoi es-tu si contrariée?

— Parce que j'ai promis d'aller avec lui.

— Etait-ce avant ou après qu'il n'essaie de flirter?

— Après, bien sûr.

— Pourquoi « bien sûr »? Si Cole t'avait mise en colère, tu n'avais pas besoin d'accepter de retourner à Tidewater.

— Je te répète que je ne sais pas ce qui m'a pris. Il était furieux parce qu'il... parce que je...

— Je commence à deviner ce qui s'est passé entre vous. Ecoute, mon chou, tu ne peux plus faire marche arrière, à présent, sinon Cole va penser que tu as peur de lui. Va à Tidewater. Mais attention, sois prudente! Tu es encore très fragile...

5.

On comparait souvent Charleston à une Venise du XVIIIe siècle. Cette ville ancienne édifiée sur la péninsule avait en effet belle allure avec ses élégantes maisons blanches. Elle avait eu son heure de gloire deux siècles plus tôt, à l'époque où les grandes caravelles venues d'Europe traversaient l'océan, toutes voiles dehors... Au XXe siècle cependant, la ville s'était quelque peu endormie. Mais ses rues pittoresques et ses demeures coloniales pleines de charme attiraient encore de nombreux touristes.

Joanna ne connaissait pas très bien Charleston. Certes, Cole l'y avait amenée tout au début de leur mariage. Mais la plantation de Tidewater se trouvait relativement éloignée de cette ville touristique. Et pour les achats de tous les jours, on se rendait plus facilement à Beaumaris.

Néanmoins, cette visite avait alors donné à la jeune femme sa première impression de la Caroline du Sud. Elle se souvenait encore de la chaleur moite, puis de la pluie diluvienne qui s'était mise à tomber. Mais à ce moment-là, elle se moquait de la chaleur, de la pluie ou des insectes... Elle était follement amoureuse de

Cole, et elle aurait vécu n'importe où avec lui. Même dans le cratère d'un volcan s'il le lui avait demandé.

A l'époque, elle voyait tout en rose et s'imaginait que ce bel amour durerait toujours... Comme elle était naïve ! Mais lorsqu'elle avait fait la connaissance de la famille de Cole, les choses avaient commencé à changer, et peu à peu, elle avait déchanté.

Il ne lui avait pas fallu bien longtemps pour se rendre compte qu'ils se liguaient contre elle. Ils ne comprenaient pas... Quelle mouche avait piqué Cole ? Pourquoi l'avait-il choisie, elle ? Un Macallister ne devait pas épouser une étrangère. Surtout une étrangère sachant ce qu'elle voulait — et n'hésitant pas à le dire...

Un long soupir échappa à Joanna. Avant de venir vivre à Tidewater, elle n'avait jamais pensé être entêtée. Ni avoir autant d'opinions arrêtées. Jusqu'à ce que Ryan Macallister lui fasse la leçon...

Les Macallister ne se liaient pas avec les familles modestes. Les Macallister n'aménageaient pas de dispensaires. Et, surtout — surtout ! — les Macallister ne traitaient pas les ouvriers de la plantation en égaux.

La maître du domaine avait établi des règles très strictes et il exigeait que son entourage les respecte. Cela dit, il était le premier à les enfreindre ! Très choquée lorsqu'elle avait constaté cela, Joanna n'avait pas hésité à s'opposer à lui avec vigueur. Ce qui avait été l'une des raisons de sa rupture avec Cole.

Cela... et aussi la mort de Nathan.

Joanna ne voulait pas penser à Nathan maintenant. Cette terrible tragédie tout comme les horribles mensonges qui en avaient été la cause appartenaient au passé. Avec le temps, les vieilles blessures s'étaient à peu près cicatrisées.

Et aujourd'hui, la jeune femme avait bien l'intention de prouver au père de Cole que tous les stratagèmes qu'il avait mis en œuvre à l'époque n'avaient servi à rien. Certes, elle n'était pas vindicative, mais Ryan Macallister lui avait causé tant de mal !

Peut-être… Mais était-il nécessaire d'accabler un homme dont les jours étaient comptés ? Mal à l'aise, Joanna se mordit la lèvre. Seigneur ! Pourquoi avait-il demandé à la voir ? Ils n'avaient pourtant plus rien à se dire…

A présent, l'avion amorçait sa descente en direction de l'aéroport de Charleston, et Joanna s'assura que sa ceinture était bien attachée. L'espace d'un instant, son regard rencontra celui de Cole. Mais il se détourna aussitôt.

Depuis qu'ils avaient quitté l'hôtel, ils n'avaient pas échangé un seul mot. Ce matin, Joanna avait découvert une enveloppe sous sa porte. Elle contenait un billet d'avion : un aller simple pour Charleston. Cette réservation avait été faite la veille, ce qui signifiait que Cole était sûr qu'elle l'accompagnerait.

La chaleur presque tropicale de cette région des Etats-Unis se faisait déjà sentir. Le frère de Cole, Ben, était venu les accueillir à l'aéroport au volant de son 4x4. Avec courtoisie, mais sans la moindre sympathie, il avait serré la main de Joanna. Autrefois, pourtant, ils étaient amis…

Accablée par la chaleur, Joanna poussa un profond soupir. Elle aurait juré qu'un pareil véhicule possédait la climatisation. Mais Ben ne s'était pas soucié de la mettre en marche et il fonçait, toutes fenêtres ouvertes, sur l'autoroute qui suivait la côte.

Joanna adressa un coup d'œil plein de ressentiment à Cole, qui s'était assis à l'avant avec Ben. Bien entendu, lui ne souffrait pas de la chaleur! Il était habitué à ce climat.

Pour oublier sa mauvaise humeur, Joanna s'absorba dans la contemplation du paysage qui défilait sous ses yeux. Elle avait oublié à quel point cette région était belle. L'eau était partout : lacs, cours d'eau, marais salants. Et les maisons étaient entourées d'une végétation exubérante. Azalées écarlates ou rose vif, camélias blancs, jasmin à l'odeur entêtante... Sur les terrasses ombragées de glycine ou de bougainvillées étaient disposés des meubles de jardin en bambou et de grands pots de terre cuite débordants de fleurs. On savait prendre le temps de vivre ici...

Décidant soudain qu'elle en avait assez d'être exclue de la conversation, Joanna se pencha et s'appuya aux dossiers des deux sièges avant.

— Comment vas-tu, Ben? As-tu enfin une maison à toi?

Ben adressa un coup d'œil embarrassé en direction de Cole. Puis il s'éclaircit la voix.

— Non, pas encore. Il y a trop à faire à Tidewater.

— Mais je croyais que tu voulais t'installer chez toi! s'exclama-t-elle.

Cole tourna légèrement la tête et adressa un regard noir à la jeune femme. Sans se laisser impressionner, elle poursuivit :

— Quel âge as-tu, Ben? Vingt-cinq ans? Vingt-six?

— Il a vingt-quatre ans, déclara Cole d'un ton sec. Deux ans de moins que toi. Comme si tu ne le savais pas!

— Tu te souviens de mon âge? demanda Joanna

d'un ton ironique. Ça alors! Quant à toi, tu dois être dans ta trentième année si mes souvenirs sont exacts. Eh bien, on ne rajeunit pas...

Cole haussa les épaules sans même prendre la peine de lui répondre. Nullement découragée, Joanna chercha autre chose à dire. Se penchant davantage, elle effleura du bras la nuque de Cole et eut la satisfaction de le voir tressaillir.

— Il paraît que Joe est marié?

De nouveau, Ben se tourna vers son frère avant de répondre. On aurait cru qu'il lui demandait l'autorisation de parler... De toute évidence, cela ne lui plaisait guère d'être pris entre deux feux. Mais Joanna n'en avait cure!

— Euh... oui, murmura-t-il enfin.

— Et il habite toujours à Tidewater? demanda-t-elle. Heureusement que la maison est grande! Trois couples...

Cette fois, Ben réagit sans attendre.

— *Trois* couples?

— Oui, je veux dire celui que forment tes parents, d'abord. Et puisque Cole et Joe sont mariés et...

— Mais Cole...

Soudain, Ben s'interrompit net.

— Cole ne t'a pas dit que...

— Non, déclara brusquement ce dernier. Sammy-Jean est partie il y a un certain temps déjà. Aujourd'hui, je crois qu'elle vit en Californie.

Joanna en resta sans voix. N'était-ce pas Ryan Macallister qui avait décidé que son fils aîné devait épouser Sammy-Jean? Et celle-ci n'était-elle pas amoureuse de Cole depuis des années? D'ailleurs, elle n'en avait jamais fait mystère. Dans ce cas, qu'avait-il bien pu se passer?

— Vous... vous avez divorcé? demanda-t-elle enfin.

— Oui, répondit Cole. A présent, cesse de poser des questions. Je ne tiens pas à parler de ça. Et de toute façon, cela ne te regarde pas.

Soudain, Joanna se sentit moins sûre d'elle. Elle avait compté sur la présence de Sammy-Jean pour établir un barrage entre elle et Cole. Si elle avait su que la seconde femme de Cole ne vivait plus à Tidewater, aurait-elle accepté de s'y rendre? Sans doute pas...

— Grace est-elle au courant?

— De toute évidence, tu n'as pas compris ce que je viens de te dire, Joanna, répliqua Cole d'un ton sec. Je n'ai aucune envie d'aborder ce sujet avec toi.

— D'accord. Mais...

— Seigneur! s'écria-t-il, exaspéré. Que tu peux être têtue!

Il se passa la main dans les cheveux, s'efforçant manifestement de se calmer.

— Bien sûr que Grace est au courant, déclara-t-il enfin. Ce n'est un secret pour personne.

— Dans ce cas, pourquoi ne m'en a-t-elle rien dit?

— Qui sait? Elle devait avoir peur que tu n'accoures pour me consoler! s'exclama Cole.

La main de Joanna se crispa sur le cuir du dossier. La remarque se voulait blessante, de toute évidence.

— Peut-être l'aurais-je fait..., murmura-t-elle. Avais-tu besoin d'être réconforté?

— Pas par toi, en tout cas! Tu sais, quand j'ai besoin d'une femme, je préfère payer, c'est moins compliqué.

— Tu raisonnes exactement comme ton père! lança Joanna avant de se rejeter en arrière.

Les paroles de Cole l'avaient blessée. Parce qu'elle n'était pas aussi insensible qu'elle se plaisait à l'imaginer. Mais elle n'en montrerait rien.

De nouveau, elle fit mine de contempler le paysage. Ils venaient de dépasser la bretelle de sortie pour Beaumaris. Joanna jeta un coup d'œil machinal au panneau qui disait : *Vous entrez dans le comté de Tidewater*. Ce fut seulement quand elle reconnut le portail de la plantation que la panique la gagna. Il fallait qu'elle soit devenue folle ! Ne s'était-elle pas juré de ne jamais remettre les pieds dans cet endroit ?

Prenant une profonde inspiration, la jeune femme s'exhorta au calme. Elle avait besoin de toute la maîtrise d'elle-même pour affronter les Macallister. Et cette fois, personne ne réussirait à la tourner en ridicule !

A présent, la voiture remontait l'allée plantée de chênes séculaires aux troncs moussus. Le soir, lorsque la brume montait de la rivière et enveloppait la maison d'un voile vaporeux, cet endroit devenait presque fantasmagorique. Et les nuits de pleine lune, lorsqu'une lueur argentée se répandait sur le domaine, c'était féerique !

Joanna se souvenait du premier soir de son arrivée. Cole l'avait emmenée voir la rivière, et ils avaient fait l'amour sur l'herbe humide de rosée.

Comment pouvait-elle laisser ses pensées s'égarer ainsi ? Furieuse, elle s'efforça de chasser cette image de son esprit. A l'époque, elle était jeune, sotte et incroyablement naïve. Ne s'imaginait-elle pas que l'amour venait à bout de toutes les difficultés ?

Pendant quelques instants, son regard erra sur les prés entourés de barrières blanches. Des poulains bondissaient à côté de tranquilles juments. Une brise iodée parvint à ses narines et elle respira à pleins poumons. Elle n'avait pas oublié qu'on pouvait voir la mer depuis les balcons du premier étage. L'eau était partout à Tidewater. La mer à peu de distance, la rivière qui passait derrière la maison...

La plupart des vastes propriétés coloniales de la région avaient été transformées en hôtels. Mais jusqu'à présent, les Macallister avaient refusé de voir leur demeure ancestrale devenir une attraction touristique.

Ils avaient réussi leur mutation de manière que la plantation reste prospère. La culture du riz et de l'indigo, qui autrefois faisait la fortune des planteurs, ne rapportait plus guère. Alors ils avaient transformé la plupart des rizières en prés pour les chevaux de race qu'on élevait désormais à Tidewater. Quant aux bâtiments où vivaient autrefois les esclaves noirs, ils avaient été aménagés en écuries.

A Tidewater, les tâches étaient bien définies. Ryan Macallister et ses fils dirigeaient le domaine. Margaret, la mère de Cole, s'occupait de tenir la maison, sans l'aide de quiconque. Et surtout pas de la femme que son fils avait épousée sans sa permission!

Tandis que les souvenirs lui revenaient en mémoire, Joanna frissonna. Comment avait-elle pu oublier les multiples humiliations que lui avait infligées sa belle-mère? Pas une seule fois, cependant, Joanna ne s'était plainte auprès de Cole. Ce dernier ignorait tout des mesquineries que sa mère faisait subir à sa jeune épouse.

Quelle différence entre les deux familles! Celle de Joanna, chaleureuse et aimante, avait accueilli Cole à bras ouverts. En revanche, les parents de Cole avaient tout de suite rejeté leur nouvelle belle-fille.

Jamais Joanna n'avait rencontré à son encontre une telle opposition, une telle désapprobation — une telle haine...

Mais cette fois, tout serait différent. D'ailleurs, n'était-ce pas *eux* qui avaient demandé qu'elle vienne? Non, aujourd'hui, elle n'avait plus rien à craindre.

Une chose la tourmentait cependant : comment sa mère réagirait-elle en apprenant où elle se trouvait? Très mal, vraisemblablement... C'était pourquoi Joanna avait renoncé à téléphoner à ses parents avant son départ, de peur qu'ils ne cherchent par tous les moyens à la faire revenir sur sa décision. Ce qui aurait peut-être été plus sage, d'ailleurs. N'était-elle pas en train de commettre une monumentale erreur?

Des aboiements la tirèrent soudain de ses pensées. Au détour de l'allée, la maison venait d'apparaître au milieu des chênes et des pins. Toute blanche, cette majestueuse demeure à l'architecture coloniale traditionnelle se détachait sur le ciel que le coucher du soleil teintait de pourpre et d'orangé.

Cole ouvrit sa portière avant même que la grosse Buick ne s'arrête devant la longue véranda à colonnades. La première fois que Joanna était venue à Tidewater, seul le vieux Moïse, l'un des domestiques, était sorti pour les accueillir. Cette fois, Margaret Macallister en personne se porta à leur rencontre.

En proie à un étrange sentiment d'irréalité, Joanna fixa la femme qui s'était tout de suite déclarée son ennemie. Vêtue d'une de ces robes de soie imprimée qu'elle affectionnait, ses longs cheveux gris tressés en couronne, Margaret paraissait plus grande, plus solide, plus intimidante que jamais.

— Cole! Grâce au ciel, te voilà de retour!

Cole, qui après avoir fait taire les chiens, s'apprêtait à ouvrir la portière de Joanna, suspendit son geste. Se retournant brusquement, il se précipita vers les marches en haut desquelles se tenait Margaret Macallister.

— Pourquoi ? s'écria-t-il. Est-ce que papa...

Margaret esquissa un bref sourire. De là où elle était, Joanna put voir que des larmes brillaient dans ses yeux.

— Non, déclara la mère de Cole. Son état est stationnaire... Mais je m'inquiétais tant ! Pourquoi n'es-tu pas revenu hier, comme prévu ?

A cet instant, Joanna se décida enfin à sortir de voiture. Margaret lui adressa alors un regard à la fois rancunier et triomphant. « Vous avez peut-être réussi une fois à éloigner mon fils de sa famille. Mais cela ne risque plus de se reproduire ! » semblait-elle dire.

Après avoir retiré ses bagages du coffre, Joanna soutint le regard de son ex-belle-mère. « Ne te réjouis pas trop vite, Margaret », songea-t-elle.

— Laisse-moi porter tes valises, déclara soudain Ben à côté d'elle.

— Merci, murmura Joanna en lui adressant un sourire radieux. J'avais oublié à quel point tu étais fort !

Uniquement pour provoquer Margaret, elle tâta le biceps du jeune homme.

— Rien que du muscle...

— ... et pas grand-chose dans la tête, coupa Cole.

Ben était devenu cramoisi. Sans plus tarder, Cole s'approcha de son frère et lui prit les bagages des mains.

— Viens ! lança-t-il à l'adresse de Joanna. Je vais te montrer ta chambre.

Un court instant, Joanna hésita. Elle allait devoir passer devant Margaret Macallister — la femme qui avait tant œuvré à la destruction de son mariage. Le simple fait de gravir les marches lui demanda un énorme effort de volonté.

Arrivée sous la véranda, elle s'arrêta devant son ex-belle-mère et la fixa sans mot dire. Quelques secondes interminables s'écoulèrent...

Comprenant que Joanna ne parlerait pas la première, Margaret se décida enfin à lui adresser un sourire crispé.

— Bonjour, Joanna.

Avec un visible dédain, elle détailla la jeune femme des pieds à la tête.

— On dirait que vous avez chaud, ajouta-t-elle.

— Le mot est faible ! J'ai hâte d'ôter ce pantalon trop collant.

Margaret pinça les lèvres avant d'échanger un regard consterné avec Cole.

— Sally va vous montrer votre chambre.

— Inutile. Cole va s'en charger. N'est-ce pas, chéri ?

Cette remarque lui valut un regard noir de la part de Cole et de sa mère. Puis Cole reprit les valises.

— C'est vrai, déclara-t-il. Autant qu'il n'y ait pas d'erreur.

— Mieux vaut s'en assurer, en effet ! Imagine que nous soyons obligés de partager la même salle de bains, chéri...

— Aucun risque ! s'exclama Margaret Macallister. Personne ici n'a oublié le passé, figurez-vous. Cole moins que quiconque.

Joanna chercha une riposte cinglante mais déjà, Cole la poussait vers le grand hall où un escalier à double révolution conduisait au premier étage, surplombé par une galerie.

— Dépêche-toi de monter, Joanna ! s'exclama-t-il. Sinon je n'hésiterai pas à employer la manière forte pour te faire taire.

6.

Joanna resta très longtemps sous le jet tiède de la douche. La perspective de devoir affronter l'air moite du soir ne l'enchantait pas du tout.

Des milliers de bruits troublaient le silence de la nuit. D'énormes papillons se heurtaient aux persiennes. Et toute une famille de termites avait pris pension sous sa véranda. A force de vivre à Londres, Joanna avait oublié les multiples petits inconvénients des pays chauds.

Bien sûr, c'était juste une question d'habitude... Pourtant, lorsqu'elle avait trouvé un énorme cafard dans la douche, elle avait failli appeler au secours. Mais qui ? Cole ? Mieux valait ne pas compter sur lui. Il lui avait parlé sur un tel ton ! Bien sûr, elle aurait toujours pu sonner une femme de chambre. Mais la peur du ridicule l'avait retenue.

Sans enthousiasme, Joanna ferma les robinets et, après s'être enveloppée dans un immense drap de bain tout blanc, elle regagna sa chambre. En contemplant son reflet dans le miroir sur pied, elle fit la grimace. Elle paraissait épuisée. Epuisée, et terriblement inquiète.

Soudain, on frappa à la porte, et elle se raidit. Non,

elle n'irait pas ouvrir. Malheureusement, il n'y avait ni clé ni verrou, et elle n'avait pas pu s'enfermer comme elle l'aurait souhaité.

De nouveau, on frappa.

— Joanna?

Cette fois, sans hésiter, la jeune femme se précipita vers la porte.

— Charley!

La sœur cadette de Cole, une adolescente de quinze ans, se jeta à son cou.

— Comme je suis contente de te revoir! s'exclama Joanna.

— Moi aussi, je t'assure! Combien de temps vas-tu rester?

Joanna hésita. Elle n'avait pas encore eu le temps de penser à cela.

— Eh bien... En fait, je ne sais pas. Quelques jours, peut-être...

Tout en essuyant subrepticement ses yeux embués de larmes, Joanna pressa Charley de questions :

— Comment vas-tu? Que deviens-tu? Et Donna? Et Sandy? Quel âge a-t-il maintenant? Douze ans, non?

D'un mouvement gracieux, Charley rejeta en arrière son épaisse natte dorée.

— Donna est toujours la même... Quant à Sandy, il suit Cole comme son ombre!

Sandy était le petit dernier de la famille. Les jumelles Donna et Charley, nées trois ans avant lui, n'avaient jamais été très proches.

— Tu sais que papa est très malade? demanda Charley.

Soudain mal à l'aise, Joanna resserra un peu plus la serviette autour d'elle.

— Oui. Je... je suis navrée.

Charley la fixa droit dans les yeux.

— Pourquoi? Tu ne l'aimais pas.

— Ton père n'est pas un homme facile à... à comprendre, murmura Joanna.

— Tu ne m'apprends rien! Il m'a déjà dit que je *devais* aller à l'université! Tu te rends compte?

Un léger sourire se dessina sur les lèvres de Joanna.

— Ce n'est pas une mauvaise idée, Charley.

— Mais je ne suis pas comme Donna, moi! Les études ne m'intéressent pas. Je préfère rester ici, et aider maman.

— Ne t'emballe pas, répliqua Joanna. Tu as le temps de changer d'avis.

— Jamais! Vois-tu, je veux me marier.

Stupéfaite, Joanna ouvrit de grands yeux.

— Toi?

— Pourquoi pas? L'année prochaine. Quand j'aurai seize ans.

— Tu sais déjà avec qui, je suppose?

— Evidemment! Tu te souviens de Billy Fenton? Sa mère allait te voir au dispensaire. Tu l'aidais à...

— Je sais.

Les Fenton vivaient dans une petite baraque, au bout de la plantation. Bill, le père, travaillait comme palefrenier à Tidewater, mais il buvait trop... et la patience de Ryan Macallister avait ses limites. Un beau jour, il avait renvoyé Bill Fenton, indifférent au fait que toute une famille allait se trouver plongée dans la misère.

Personne ne pouvait vraiment blâmer Ryan Macallister d'avoir mis cet ivrogne à la porte. Bill Fenton n'était qu'un bon à rien qui battait femme et enfants comme plâtre. Après son renvoi, on racontait qu'il avait installé dans les bois une distillerie clandestine de whisky. Mais la police n'avait jamais réussi à la découvrir. En tout cas, Bill Fenton était ivre tous les soirs...

A l'époque, Joanna plaignait surtout la femme de Bill, Susan. A peine plus âgée qu'elle, celle-ci avait déjà eu sept enfants, dont trois mort-nés. C'était une petite créature effacée, terrorisée par un mari brutal qu'elle n'avait pas le courage de quitter. Grâce à Joanna, elle avait appris à éviter des grossesses non désirées et, peu à peu, au fil des mois, elle avait recouvré un peu de dignité et de confiance en elle.

Billy, l'aîné de la famille, ne ressemblait en rien à son père. Il devait avoir seize ou dix-sept ans maintenant. Et, aux yeux d'une adolescente aussi romantique que Charley, un garçon comme lui pouvait passer aisément pour un héros.

Jugeait-on un être sur ses origines sociales? Non, bien sûr. Mais Joanna savait que jamais les Macallister n'accepteraient une telle mésalliance.

— Tu en fais une tête! s'écria Charley. Tu me trouves trop jeune? Ce n'est pas mon avis. Et personne ne m'obligera à aller à l'université si je n'en ai pas envie.

Joanna ne répliqua pas. Après tout, Charley n'avait que quinze ans... et il ne fallait pas s'affoler à l'avance. Avec un peu de chance, dans quelques mois — quelques semaines peut-être —, elle aurait oublié Billy Fenton.

— Rien ne presse, ma petite Charley.

— Je sais ce que je fais. Tu veux bien parler à Cole de tout ça? Il ne m'écoute jamais, mais toi, il t'écoutera.

Joanna faillit éclater de rire.

— Si tu crois qu'il me prête la moindre attention ! s'exclama-t-elle.

— Plus qu'à moi. Et comme papa ne peut plus s'occuper de rien, c'est à Cole de prendre les décisions, non ?

— Ecoute, Charley, je n'ai pas le temps de discuter maintenant. Il faut que je me prépare pour descendre dîner. Pour le moment, ne mets personne au courant de tes projets. Tu me laisses réfléchir à tout ça ? D'accord ? Je vais essayer de trouver une solution...

— Entendu.

Charley embrassa Joanna sur la joue.

— Si tu savais comme je suis heureuse que tu sois de retour ! Grâce à toi, tous mes problèmes vont s'arranger.

Lorsqu'elle sortit, Joanna poussa un profond soupir. Elle aurait bien voulu se montrer aussi optimiste que Charley...

En hâte, elle se maquilla et revêtit un caleçon de soie crème et une tunique assortie. Des sandales vernies et une ceinture de cuir noir, négligemment nouée sur les hanches, complétèrent cet ensemble. De grandes créoles d'or dansaient à ses oreilles. Ses cheveux étaient à peine secs et elle les laissa flotter sur ses épaules.

Bien entendu, elle arriva bonne dernière dans la bibliothèque où se trouvaient réunis les Macallister. D'ailleurs, même sans la visite impromptue de Charley, elle aurait eu du mal à être prête à temps.

Il y avait maintenant trois ans que la jeune femme avait quitté Tidewater, mais elle retrouvait l'odeur caractéristique de cuir et de vieux papiers qui régnait autrefois dans cette pièce, et elle éprouva l'étrange impression d'avoir soudain remonté le cours du temps.

Lorsqu'elle entra, tout le monde se tourna vers elle — et elle lut la même désapprobation dans les regards.

— Je suis désolée... J'espère que je ne vous ai pas fait attendre trop longtemps? Je...

Elle s'interrompit en voyant le maître de maison assis dans un fauteuil près de la cheminée. Cole n'avait pas menti en disant que son père était très malade... Amaigri, le visage émacié, Ryan Macallister n'était plus que l'ombre de lui-même.

Il régnait une chaleur étouffante dans la bibliothèque, malgré les ventilateurs qui tournaient au plafond, brassant lentement un air moite. Mais Ryan Macallister grelottait. Et pourtant, il était enveloppé de châles et de couvertures.

Joanna demeura muette. Que dire? Elle devait trouver quelque chose... Hélas! Pour l'instant, elle en était incapable.

Son regard passa de l'une à l'autre des neuf personnes présentes. Il y avait là Joe, le second fils. La jeune femme au visage anguleux qui se trouvait près de lui et fixait Joanna avec une évidente hostilité devait être sa femme. Margaret Macallister la toisait avec froideur, ainsi que Donna... Pour sa part, Ben s'efforçait d'avoir l'air indifférent. Seuls Charley et Sandy souriaient. Mais Charley avait toujours été son alliée et Sandy était trop jeune pour avoir une quelconque opinion. Quant à Cole, il évitait de la regarder.

Bien décidée à ne pas montrer combien elle se sentait mal à l'aise et intimidée, la jeune femme se décida enfin à s'approcher de Ryan Macallister.

— Bonsoir, monsieur.

Elle l'avait toujours appelé « monsieur » et il n'y avait aucune raison pour que cela change aujourd'hui.

— Comment me trouvez-vous? demanda-t-il, agressif. Répondez!

Le ton autoritaire adopté par le père de Cole ne surprit pas Joanna outre mesure. La maladie n'avait pas amélioré son caractère!

— Pas en très bonne forme, déclara-t-elle. Mais je suppose que je ne vous apprends rien.

Ryan Macallister plissa les yeux. Ses prunelles, autrefois aussi bleues que celles de son fils, étaient devenues grises.

— Vous êtes toujours aussi sûre de vous..., marmonna-t-il. J'espère avoir eu raison de vous faire venir ici. Parce que je ne veux pas que l'on me cause d'ennuis! Ni vous ni les autres.

— Pourquoi avez-vous demandé à me voir, monsieur?

— Vous le saurez en temps utile.

D'une main légèrement tremblante, il tendit son verre vide à Cole.

— Un autre whisky, s'il te plaît. Et donne-lui ce qu'elle veut.

— Ryan! s'écria Margaret. Tu sais ce qu'a dit le médecin.

— Et alors? Tu as entendu Joanna? Je n'ai pas l'air en bonne forme. Pourquoi devrais-je me limiter à un seul whisky, quand deux ou trois me font du bien?

Margaret adressa un regard noir à son ex-bru. Lui tournant le dos, Joanna s'approcha de Cole, qui préparait un whisky pour son père.

— Pour moi, juste un jus de fruits, s'il te plaît.

Il haussa les sourcils mais ne fit aucun commentaire. A ce moment-là, comme à un signal donné, tous les autres membres de la famille l'entourèrent. Joe la salua avec froideur avant de lui présenter sa femme, Alicia. La jumelle de Charley, Donna, vint l'embrasser du bout des lèvres. Mais, toujours aussi futile, elle s'intéressait surtout à ses vêtements.

— Comme c'est joli ! s'exclama-t-elle en caressant la tunique de soie. J'aimerais bien avoir quelque chose comme ça...

— Tu es trop grosse, dit Charley, qui n'avait jamais eu beaucoup de tact.

Donna regarda sa jumelle avec ressentiment.

— Et alors ? Joanna aussi était grosse, avant.

— Parce qu'elle buvait trop, rétorqua Charley. C'est papa qui l'a dit.

A cet instant, Ben s'interposa entre les deux sœurs.

— Papa a dit beaucoup de choses, déclara-t-il. Des choses pas forcément vraies... Vous ne voyez pas que vous embarrassez Joanna ? Si vous alliez aider Lacey ?

Charley haussa les épaules.

— Comme si Lacey avait besoin qu'on l'aide !

Se tournant vers Joanna, elle lui adressa un sourire confus.

— Pardon. Tu n'as jamais été grosse. Tu avais seulement...

— ... quelques bons kilos en trop, termina Joanna à sa place.

— Laissez-la donc tranquille ! s'exclama Ben avec impatience.

Les jumelles s'éloignèrent en se chamaillant. De ce côté non plus, rien n'avait changé ! songea Joanna.

— Est-ce aussi pénible que tu le prévoyais ? lui demanda soudain Ben à mi-voix.

— Pire...

Après quelques instants de réflexion, Joanna hocha la tête.

— Non, pas pire, reprit-elle. Différent.

— A cause de mon père?

— C'est bizarre..., murmura la jeune femme. Il ne m'effraie plus. Je me demande pourquoi.

— Parce qu'il est malade?

— Non, ce n'est pas ça... En dépit de sa maladie, il a gardé toutes ses facultés mentales intactes et vous continuez à lui obéir au doigt et à l'œil.

— Nous, peut-être, mais pas Cole.

Devant l'air surpris de Joanna, il ajouta, toujours à voix basse :

— Tu verras bien... Cole a changé. Il n'est plus le même qu'autrefois.

— Tu trouves? Moi, je n'ai pas remarqué de différence. D'ailleurs, je...

Elle s'interrompit en voyant Cole s'approcher.

— Nous parlions de ton père, prétendit-elle.

— Il semble aller un peu mieux ce soir. Grâce à toi, peut-être? Faut-il te remercier?

Joanna laissa échapper un rire sans joie.

— Dieu te préserve d'avoir à me remercier pour quoi que ce soit!

Prenant le verre qu'il lui tendait, elle y trempa ses lèvres.

— Délicieux, déclara-t-elle. Je préfère que ce soit toi qui l'aies préparé! Ta mère serait capable de m'offrir une décoction de ciguë.

— Si elle se méfie de toi, c'est bien ta faute.

— Pardon? Son mari la trompait, et c'est moi la responsable? A propos, Sarah vit-elle toujours à Beaumaris? J'aimerais lui rendre visite.

— Je te le déconseille vivement, répliqua aussitôt Cole. Si tu crois que mon père t'a fait venir pour que tu ailles voir Sarah!

— Qu'il soit d'accord ou pas m'est complètement

égal. L'époque où il me dictait ma conduite est révolue.

Une lueur de colère brilla dans les yeux de Cole.

— Ne va pas la voir, Joanna. Elle en souffrira, et elle n'a vraiment pas besoin de ça. De toute façon, Nathan est mort, et personne ne peut plus rien faire.

En proie à une soudaine nervosité, Joanna avala une nouvelle gorgée de son jus de mangue, et cette fois, elle le trouva très amer.

— Excuse-moi, murmura-t-elle. J'ai besoin de prendre l'air.

— Attends! Je t'en prie...

Il la regardait d'un air implorant. En cet instant, elle aurait été capable de lui promettre n'importe quoi.

— N'essaie pas de renouer avec Sarah. Sinon...

— Sinon quoi? Des menaces maintenant? Mais tu ne m'impressionnes pas, Cole. Et puis, Sarah et moi, nous avons tant en commun... Par exemple, nous avons toutes les deux été assez sottes pour faire confiance à des hommes qui nous ont trahies.

— Joanna!

Mais déjà, elle s'éloignait. Margaret Macallister, qui surveillait la scène de loin, la rejoignit juste au moment où elle allait sortir.

— Que vous a dit Cole? demanda-t-elle d'un ton sec.

— Je regrette, cela ne vous regarde pas.

— Ne vous faites pas d'illusions, ma fille! Si Cole a accepté de vous amener ici, c'est uniquement parce que son père le lui a demandé. Mais je vous assure que s'il avait été seul à décider...

— Vos commentaires sont superflus.

— Pas d'impertinence, je vous en prie!

Déterminée à ne pas se laisser intimider par Margaret, Joanna la regarda droit dans les yeux.

— Ne vous inquiétez pas, vous pouvez garder votre fils chéri, déclara-t-elle. Je n'en veux pas! Pas de manière permanente, en tout cas, ne put-elle s'empêcher d'ajouter.

A ces mots, la mère de Cole blêmit.

— Vous... vous...

— Bonsoir, Margaret! lança Joanna avant de s'éclipser.

7.

Après la soirée éprouvante qu'elle venait de passer, Joanna pensait qu'elle ne parviendrait jamais à s'endormir. Pourtant, à peine eut-elle posé la tête sur l'oreiller qu'elle sombra dans un profond sommeil.

Ce fut seulement quand une femme de chambre ouvrit ses rideaux qu'elle s'aperçut qu'il faisait grand jour.

— Bonjour, mademoiselle... Oh, pardon! Je voulais dire madame.

Joanna lui sourit.

— Vous pouvez m'appeler mademoiselle. Bonjour!

Elle ne connaissait pas cette jeune fille. Sans doute l'avait-on engagée assez récemment...

— Comment vous appelez-vous? lui demanda-t-elle.

— Rebecca, mademoiselle.

Une bonne odeur de café montait du plateau qu'elle venait de poser devant Joanna. Pour se donner une contenance, elle remit un peu d'ordre dans les couverts en argent qui s'étaient légèrement déplacés.

— Laissez, c'est parfait, assura Joanna. Et tout a l'air très bon.

— Il y a du jus d'orange, des œufs au bacon, du pain grillé, du café... Désirez-vous autre chose, mademoiselle Macallister ?

— Pas Macallister, mais Seton !

Aussitôt, Rebecca rougit violemment.

— Pardon, mademoiselle. Souhaitez-vous que je vous prépare des *pancakes* pour aller avec les œufs ?

— Non, merci. J'ai déjà trop à manger ! Je n'arriverai jamais à avaler tout cela. Quelle heure est-il ?

— Voyons... Madame a demandé qu'on vous monte votre plateau à 10 heures. Il doit être à peu près 10 heures et quart.

— Quoi ? Il est plus de 10 heures ? Seigneur ! Moi qui voulais voir M. Macallister ce matin !

Jamais elle ne dormait si tard. Que devait penser la mère de Cole ? Joanna n'avait pas oublié que Margaret Macallister l'avait souvent traitée de paresseuse. Et elle ne tenait pas à lui donner l'occasion de recommencer.

En fait, à l'époque où elle vivait à Tidewater, si Joanna passait une bonne partie de la matinée au lit, c'était parce qu'elle n'avait rien d'autre à faire. Margaret Macallister ne voulait pas de son aide. Quant à peindre... Comment l'aurait-elle pu dans une telle atmosphère ?

— Ne vous inquiétez pas, M. Macallister ne se lève jamais avant midi, dit Rebecca. Et les garçons sont partis travailler depuis longtemps. Charley, Donna et Sandy sont à l'école. Charley ne voulait pas y aller, elle prétendait qu'elle avait à vous parler. Mais madame n'a rien voulu entendre.

Songeuse, Joanna hocha la tête. Les problèmes de Charley n'avaient rien d'urgent.

— Bon, je vous laisse, mademoiselle.

— Merci pour le petit déjeuner. J'ai été heureuse de faire votre connaissance. J'espère que nous aurons l'occasion de bavarder une autre fois.

Un sourire radieux éclaira le visage de la femme de chambre.

— Oui, moi aussi je l'espère, mademoiselle Mac... euh, Seton.

Après avoir adressé un petit sourire complice à Joanna, elle quitta la pièce.

Restée seule, Joanna posa le plateau sur la table de nuit et sauta hors du lit à baldaquin. Cette pièce était si grande qu'on aurait pu y loger deux appartements comme le sien. A Tidewater, tout était démesuré.

Pieds nus sur l'épaisse moquette grège, Joanna courut jusqu'à la porte-fenêtre et ouvrit les persiennes. Seulement vêtue d'une légère chemise de nuit de coton blanc, elle sortit sur le balcon et fit la grimace en apercevant la colonie de termites qui y avait élu domicile.

Il faisait déjà très chaud, et le parfum entêtant des fleurs montait du jardin. A l'horizon, on apercevait la ligne bleue de l'océan.

Joanna soulevait ses cheveux pour que la brise rafraîchisse sa nuque lorsqu'elle aperçut Cole en train de desseller un grand étalon bai, dans un pré proche de la maison. Lui aussi l'avait vue. Il s'immobilisa et, pendant quelques secondes, il la fixa. Même à distance, elle devinait sa colère, son hostilité...

Vêtu d'un jean, de bottes de cuir et d'une chemise ouverte sur son torse bronzé — il paraissait encore plus viril et plus séduisant que jamais. La brise faisait voleter ses cheveux d'or pâle décolorés par le soleil.

Troublée par cette vision, Joanna retint son souffle. Presque aussitôt, elle se reprit et, comme si de rien n'était, elle adressa un signe de la main à Cole. Puis elle rentra dans sa chambre.

Ses mains tremblaient un peu lorsqu'elle se servit une tasse de café. Du bout des lèvres, elle grignota un toast. Les œufs avaient refroidi sur l'assiette en porcelaine, et Joanna n'y toucha pas.

Un peu confuse, elle se demanda si elle devait les envelopper dans une serviette en papier pour les donner aux chiens. Son bon sens lui fit mesurer le ridicule d'un tel comportement. Après tout, rien ni personne ne l'obligeait à avaler son petit déjeuner jusqu'à la dernière bouchée!

Mais si Margaret Macallister l'accusait de gaspiller la nourriture? Elle en était tout à fait capable...

Joanna haussa les épaules. Et alors? De toute façon, la mère de Cole l'avait toujours accablée de reproches. Un de plus ou un de moins...

Il fallait quand même qu'elle mange quelque chose. Elle beurra un second toast et le couvrit d'une épaisse couche de marmelade d'oranges — les oranges de la plantation.

Puis, sans enthousiasme, elle se prépara. Qu'allait-elle porter ce matin pour choquer son ex-belle-mère? Après avoir longtemps hésité, Joanna opta pour une veste rouge vif et un short blanc qui dégageait bien haut ses longues jambes. Après avoir tressé ses cheveux, elle enfila des espadrilles. Voilà! Elle était prête...

S'emparant du plateau, elle descendit. Sa chambre était située dans l'aile exposée plein sud.

Une délicate attention de la part de Margaret Macallister, vraisemblablement... Les meilleures chambres se trouvaient dans l'autre aile — beaucoup plus fraîche.

Une température presque supportable régnait au rez-de-chaussée, où tournoyaient sans trêve de grands ventilateurs. Autrefois, Cole voulait faire installer l'air conditionné. Son père s'y était opposé.

— La climatisation à Tidewater? Et puis quoi encore? Je m'en suis passé, tout comme ton grand-père et ton arrière-grand-père. Fais-en autant! Inutile de jeter l'argent par les fenêtres.

Au moment où Joanna traversait le hall, Ryan Macallister parut en haut de l'escalier.

— Que faites-vous avec ce plateau? demanda-t-il.

Joanna tressaillit.

— Je le porte dans la cuisine, monsieur.

Puis, s'efforçant de sourire, elle demanda :

— Vous n'êtes pas au lit?

— Non, je ne suis pas encore mort. Posez ce plateau et montez. J'ai à vous parler.

Haussant les épaules, elle déposa son plateau sur une commode et rejoignit le père de Cole à l'étage.

— Sale maladie, marmonna ce dernier en se dirigeant vers sa chambre. Suivez-moi.

Une fraction de seconde, Joanna fut tentée de lui proposer de s'appuyer sur elle. Il tenait à peine debout. Mais connaissant le caractère ombrageux de Ryan Macallister, elle préféra s'abstenir.

— Vous devriez marcher moins vite, hasarda-t-elle.

— Je n'ai pas besoin de vos conseils. Vous croyez que ça m'amuse d'être devenu un vieillard tremblotant? Seigneur! Je préférerais être mort!

— Ne dites pas des choses pareilles. Les vôtres n'aimeraient pas vous entendre parler ainsi.

— Mais vous, cela ne vous dérange pas, bien sûr.

Ryan Macallister pénétra dans sa chambre et s'assit au bord de son lit.

— N'est-ce pas, Joanna? Ne prétendez pas le contraire.

Immobile sur le seuil, la jeune femme ne souffla mot. Elle avait envie de fuir, de mettre le plus de distance possible entre cet homme et elle...

Comme s'il avait deviné ce qui se passait en elle, Ryan Macallister plongea son regard dans celui de la jeune femme.

— Restez!

— Je ferais mieux de vous laisser vous reposer, monsieur.

— Parce que j'ai eu le malheur de dire quelque chose qui vous a déplu, vous décidez de partir?

— Oui.

— Eh bien, je vous demande de rester car nous avons à parler. Allons, accordez-moi cette faveur...

— Il n'y a aucune raison pour cela.

— C'est vrai. Je...

Une violente quinte de toux l'empêcha de terminer sa phrase.

— Ecoutez, dès que vous vous sentirez mieux, je promets de revenir vous voir, murmura Joanna.

— Parce que vous pensez que mon état peut s'améliorer? Vous vous trompez... D'ailleurs, je parie que cela vous fait plaisir de me voir dans cet état.

— Non! s'écria Joanna.

Plus doucement, elle reprit :

— Je vous assure que non. Même si cela vous

paraît difficile à croire, je suis capable d'éprouver de la compassion...

— J'espérais que vous me diriez cela, Joanna.

— Pourquoi ?

— Parce que vous êtes la seule capable de m'aider. Je veux que mon fils me revienne.

— Votre fils ? De quel fils parlez-vous ?

— Comme si vous ne le saviez pas ! De Cole, bien entendu ! Vous devez le convaincre que je ne suis pas responsable de... de l'accident de son frère.

Le cœur de Joanna se serra. Ainsi, Ryan Macallister lui avait demandé de venir pour parler de Nathan...

— Je veux que Cole me traite comme avant, reprit-il. C'est mon fils, après tout ! Il doit me respecter. Quant à vous, écoutez-moi...

Sa respiration devint sifflante tandis qu'il poursuivait d'une voix saccadée :

— Tout est votre faute ! Avec vos stupides idées libérales... Pousser les gens à vouloir des choses qu'ils ne peuvent pas avoir ! Vous m'avez pris Cole et je ne vous le pardonnerai jamais... Mais je vous le répète, j'ai besoin de votre aide.

Joanna prit une profonde inspiration. Elle se sentait terriblement oppressée, et après être sortie de la chambre du malade, elle avait éprouvé le besoin de prendre l'air.

Epuisée moralement et physiquement, elle s'appuya à la clôture blanche d'un pré. A distance, la grande maison coloniale semblait la narguer. Une maison ? Ou une prison ? Elle avait réussi à s'en échapper, mais ce n'était qu'un bref répit. Elle était piégée et le savait.

Ryan Macallister voulait qu'elle intervienne auprès de Cole. Et cela, pour le persuader que son père n'était pour rien dans la mort de Nathan...

Joanna frissonna en dépit de la tiédeur de l'air. En fait, elle s'était imaginé que Ryan Macallister, au seuil de la mort, voulait implorer son pardon pour lui avoir causé tant de chagrin. Quelle idiote elle faisait!

Soudain, un poulain peu farouche vint frotter ses naseaux contre les mains crispées de la jeune femme.

— Je n'ai rien à te donner, murmura-t-elle. Tu n'as pas de chance... Et moi non plus!

— Tu te lamentes sur ton sort? demanda Cole qui venait de la rejoindre.

Ignorant la question, Joanna caressa l'encolure du poulain.

— Comment s'appelle-t-il?

— Il n'a pas encore de nom. Henry l'appelle Beau.

— Il faut dire qu'il est magnifique... Henry est toujours là?

— Evidemment.

— Pourtant, je pensais que...

— As-tu vu mon père?

— Oui. D'ailleurs, c'est la raison pour laquelle je me trouve ici. J'avais besoin d'air...

A ces mots, Cole fronça les sourcils.

— Pourquoi es-tu toujours aussi agressive à son égard? Tu ne peux pas témoigner un minimum de respect à un mourant?

— Et toi?

— Moi? Que veux-tu dire?

— Rien, je plaisantais...

Du bout des doigts, elle lui effleura la joue.

— Tout le monde sait que tu es le petit chouchou de ton père.

Furieux, Cole la saisit par le poignet.

— Et toi, tu ne sais que semer la discorde! s'exclama-t-il.

— Calme-toi, mon chéri! Ta mère nous regarde peut-être... Tu veux qu'elle s'imagine que nous nous disputons?

8.

A midi, Joanna déjeuna avec Margaret et Ben. Cole ne se montra pas. Les trois plus jeunes ne rentraient que le soir du collège. Quant à Joe et à Alicia, ils ne prenaient plus leurs repas en famille depuis qu'ils avaient fait construire leur propre maison.

L'atmosphère était plutôt tendue autour de la table. A chaque instant, Joanna redoutait de voir paraître Ryan Macallister. Mais à son grand soulagement, il ne les rejoignit pas.

Ils en étaient au café lorsque Ben apprit à la jeune femme que Cole s'était rendu à Beaumaris.

— Et il ne rentrera pas avant ce soir, ajouta Margaret avec un sourire de triomphe.

Joanna réussit à garder un visage impassible. Mais une sourde colère s'était emparée d'elle. Si Cole lui avait dit qu'il devait s'absenter, elle lui aurait demandé de l'emmener. Tout valait mieux plutôt que d'affronter les Macallister...

Pour éviter de rencontrer Ryan, la jeune femme passa tout l'après-midi enfermée dans sa chambre. Bien sûr, elle aurait pu aller aux écuries et bavarder avec Henry... Mais elle n'avait aucune envie de faire revivre le passé.

Joanna se débarrassa de ses espadrilles et s'allongea sur son lit. Les yeux grands ouverts, elle contempla le plafond. Dormir? Impossible. Elle était bien trop énervée pour cela.

Comment avait-elle pu se croire immunisée contre les Macallister? Il lui avait suffi de revenir à Tidewater pour que des émotions qu'elle croyait avoir dominées la submergent de nouveau, avec une force, une violence inouïe. Elle qui avait pensé être assez forte et sûre d'elle pour faire face... Une nouvelle fois, elle s'était trompée!

La vie réservait d'étranges surprises : dire qu'une simple panne d'essence était à l'origine de sa rencontre avec Grace... et avec les Macallister!

Poussant un profond soupir, la jeune femme laissa les souvenirs affluer à sa mémoire. Elle serait peut-être restée toute sa vie dans sa petite ville paisible du Sussex, partageant sa vie entre son travail dans la banque familiale et ses cours de dessin si, un beau jour, Grace n'était pas passée par là... Sa voiture était tombée en panne à l'entrée de la ville. Pendant qu'on la réparait, Grace était allée faire un tour rue Guildford... Or c'était dans une librairie de cette rue que le professeur de dessin de Joanna avait exposé deux des aquarelles de sa meilleure élève.

Tout avait commencé grâce à un hasard presque miraculeux. Oh! Le succès de Joanna n'était pas venu du jour au lendemain... Mais Grace avait décidé d'exposer les œuvres de sa jeune protégée dans sa galerie londonienne. Joanna n'avait que vingt et un ans lorsqu'elle abandonna la banque familiale pour venir s'installer à Londres avec l'intention bien arrêtée de vivre de son art.

Entre-temps, Grace et elle étaient devenues très amies. Malgré la différence d'âge, elles avaient beaucoup de points communs. Bien entendu, elles échangèrent de nombreuses confidences... Joanna apprit ainsi que Grace avait été mariée à un Américain, dont elle avait eu deux fils — deux garçons d'une vingtaine d'années qui vivaient en Caroline du Sud.

Un jour, alors que Joanna se trouvait seule dans la galerie de son amie, un Américain très séduisant lui avait demandé si Grace était là.

Il était trop âgé pour être l'un des fils de cette dernière. Peut-être s'agissait-il d'une des relations de l'ex-mari de son amie? D'emblée, il avait paru très sympathique à la jeune femme. Mais par solidarité envers Grace, elle l'avait reçu plutôt fraîchement.

Elle avait eu tort. Grace, de retour quelques minutes plus tard, s'était précipitée dans les bras de son visiteur, qui n'était autre que son neveu Cole Macallister. Puis elle avait insisté pour que Joanna dîne avec eux et avec Ray Marsden le soir même, dans le petit appartement qu'elle occupait au-dessus de la galerie.

Après le dîner, Cole avait insisté pour raccompagner Joanna chez elle. Elle ne s'était pas fait prier! Déjà, elle était amoureuse...

Cole n'avait que quatre ans de plus qu'elle, mais il possédait tellement plus d'expérience! Courtois, attentionné, il avait su immédiatement gagner le cœur de la jeune femme. Le premier soir, il n'avait pas cherché à l'embrasser. Il ne lui avait même pas proposé de la revoir...

Cette nuit-là, Joanna avait eu bien du mal à s'endormir. Et lorsque, enfin, elle avait réussi à trouver le sommeil, elle avait rêvé de Cole. Le lendemain matin, sa première pensée avait été pour lui... L'image de cet Américain athlétique aux cheveux blonds et aux yeux bleus ne cessait de la hanter. Incapable de travailler, elle avait abandonné son chevalet pour aller se promener dans le parc et effectuer quelques achats.

En ce début de l'été, les rhododendrons étaient en fleur et il faisait un temps magnifique. Si Joanna s'était écoutée, elle se serait rendue à la galerie de Grace.., Mais son orgueil l'en avait empêchée.

Lorsqu'elle avait regagné son domicile, Cole l'attendait, assis sur le petit muret du jardin qui entourait cet immeuble datant de l'époque victorienne.

Vêtu d'un jean et d'un T-shirt noir, il lui parut plus séduisant encore que la veille. Elle eut l'impression que son cœur allait s'arrêter de battre, et pour la première fois de sa vie, elle comprit la signification du mot « désir ».

Pourtant, Joanna ne manquait pas d'admirateurs, et elle sortait souvent. Mais jamais encore elle n'avait ressenti une telle fascination pour quelqu'un.

En la voyant arriver, les bras chargés de paquets, Cole se leva et lui adressa un merveilleux sourire.

— Vous... vous m'attendez depuis longtemps? demanda-t-elle. Je suis allée faire des courses.

Elle n'avait rien trouvé de plus intelligent à dire. Si seulement elle avait eu l'idée de mettre une robe avant de sortir! Au lieu de cela, elle était allée se promener vêtue d'une salopette rouge pleine de peinture !

D'autorité, il lui prit les paquets des bras.

— J'aurais dû vous téléphoner avant de venir, mademoiselle. Mais je ne connaissais pas votre nom de famille et je n'ai pas voulu le demander à tante Grace. Elle aurait été capable de m'empêcher de vous revoir.

Joanna haussa les épaules et la bretelle de sa salopette glissa sur son bras.

— Pourquoi ?

— Elle ne me trouve pas digne de confiance.

En rajustant la bretelle de la salopette, Cole effleura l'épaule de la jeune femme, et elle frissonna.

— Vous savez, elle vous aime beaucoup, murmura-t-il.

— Je... je lui dois énormément.

— Elle aussi ! C'est votre agent exclusif et sans les pourcentages qu'elle a touchés sur la vente de vos tableaux, elle n'aurait jamais pu devenir l'associée de Marsden.

— Vous exagérez !

— Pas du tout. Vous m'invitez chez vous ?

— Euh... oui, bien sûr. Mais je vous préviens, il y a plusieurs étages...

— Et pas d'ascenseur ?

— Non.

— Les Anglais ont vraiment l'art de se compliquer la vie !

Joanna esquissa un léger sourire.

— Vous pensez à la galerie de Grace ?

— Tout juste ! Si je devais monter cet escalier en colimaçon plusieurs fois par jour, je serais vite perclus de douleurs.

Joanna, qui avait commencé à gravir les marches, jeta un bref coup d'œil en arrière.

— Ça m'étonnerait beaucoup, déclara-t-elle.

— Qu'en savez-vous? Vous ne me connaissez pas. Pas encore, du moins...

— Je doute que cela puisse vous fatiguer de monter un petit escalier — même peu commode.

— Vous croyez?

Joanna se retourna de nouveau, manqua une marche et dut se raccrocher à la rampe. Maudissant le trouble qui s'était emparé d'elle, elle se hâta de monter l'escalier.

Enfin, ils arrivèrent au troisième et dernier étage de cet ancien hôtel particulier. Il était réservé à l'origine aux chambres de service, mais un architecte astucieux avait su en tirer le meilleur parti possible. Il avait abattu les murs, cassé les plafonds, agrandi les fenêtres...

Joanna disposait d'une salle de séjour, d'une chambre, d'une cuisine, d'une salle de bains et d'un atelier. Cet appartement lui avait coûté cher et elle en était très fière. Ne représentait-il pas le symbole de sa réussite, de son indépendance?

Cependant, en le voyant au travers des yeux de Cole, elle le trouva soudain bien petit... et très mal rangé! En hâte, elle ramassa les papiers éparpillés sur le canapé. Pendant ce temps, Cole admirait la vue que l'on avait de la baie vitrée.

Joanna voulut lui prendre les sacs des bras.

— Dites-moi où je dois les mettre, dit-il simplement.

— Dans la cuisine...

Elle ouvrit une porte et lui montra le plan de travail le moins encombré.

— Ici, par exemple…

Après avoir déposé les paquets à l'endroit indiqué, Cole regarda autour de lui.

— C'est un peu en désordre, je suis navrée, murmura la jeune femme en rougissant. Je… euh, je n'attendais pas de visite aujourd'hui.

Il éclata de rire.

— Vous faites le ménage seulement quand vous avez des visiteurs ? Ne vous inquiétez pas… De toute manière, ce n'est pas votre appartement que je suis venu voir.

Sous le regard intense dont il la couvait, Joanna se troubla.

— Allez donc vous asseoir, monsieur Macallister. Je vous offre un café ?

— Ne vous donnez pas cette peine. Prenons plutôt une bière et venez vous asseoir avec moi.

— Je n'ai pas de bière. Seulement du Coca-Cola.

— Va pour un Coca !

De la main, Cole désigna le réfrigérateur.

— Ils sont là-dedans ?

— Oui.

Il ouvrit la porte et prit deux bouteilles de Coca-Cola. En le voyant ainsi s'occuper de tout, Joanna se demanda soudain si elle était de taille à dominer la situation.

— Les verres sont dans ce placard, murmura-t-elle.

Son trouble était tel que lorsqu'elle voulut ouvrir sa bouteille, elle s'égratigna la main. Quelques gouttes de sang perlèrent à son doigt.

— Comment avez-vous réussi à vous faire mal ? s'écria Cole. Remarquez, ça me donne l'occasion de…

— De?

— De faire ça...

Et il lui lécha le pouce.

— Dommage que ce ne soit pas votre lèvre! murmura-t-il.

Cette fois, il lui effleura la bouche de sa langue. « Il va trop vite! » songea-t-elle confusément. Il n'y avait pas dix minutes que cet homme était entré chez elle, et il avait déjà réussi à l'embrasser! Mais pouvait-on vraiment appeler cela un baiser?

— Ça va? demanda-t-il à mi-voix.

— Je... je vais chercher un pansement adhésif. J'en ai pour un instant.

Avec maladresse, elle se mit à fourrager dans tous ses tiroirs. Elle avait pourtant une boîte de pansements adhésifs quelque part... Mais où?

— Ne vous énervez pas, dit Cole.

— Pourquoi voulez-vous que je m'énerve?

— Je ne sais pas.

Joanna haussa les épaules. Elle se sentait de plus en plus mal à l'aise. Enfin, elle découvrit les pansements. Cole les lui prit des mains.

— Laissez-moi faire.

Elle aurait voulu discuter. Mais à quoi bon? Après avoir appliqué le pansement sur la petite blessure, il garda la main de la jeune femme dans les siennes.

— Dites-moi, Joanna... Est-ce que j'ai mal compris?

— Quoi donc?

— Vous voulez que je parte?

— Non. Pourquoi cette question?

— A cause de la manière dont vous réagissez lorsque je vous touche. Ça n'a pas l'air de vous plaire.

Joanna s'efforça de répondre avec naturel. Elle réussit même à rire.

— Mais vous me touchez en ce moment!

— Vous savez parfaitement ce que je veux dire... Alors, c'est non?

Joanna hésita. C'était la première fois qu'un homme lui posait une question aussi directe et elle ne savait comment y répondre. Ses relations avec les représentants du sexe opposé n'avaient jamais dépassé le stade amical. Peut-être un baiser volé par-ci, par-là... rien de plus.

Avec Cole, elle naviguait dans des eaux inconnues. Toutes ses références habituelles se trouvaient bousculées. C'était effrayant et merveilleux tout à la fois.

— Il... il ne faut pas aller trop vite, balbutia-t-elle enfin. Nous nous connaissons à peine...

— Je ne demande qu'à mieux vous connaître!

Avant qu'elle n'ait pu réagir, il l'avait enlacée. D'abord trop surprise pour réagir, Joanna tenta ensuite de le repousser.

— Je vous en prie. Arrêtez...

— Pourquoi?

Incapable de parler, Joanna sentit son cœur s'affoler. Cole lui caressait la nuque, le dos, les reins, et elle avait l'impression d'être emportée par un tourbillon de sensations exaltantes.

— Nous... nous devrions aller à côté, dit-elle dans un souffle. Je... je pourrais préparer quelque chose à manger et...

Il ne laissa pas terminer sa phrase. Déjà, il l'embrassait. Son baiser, d'abord très tendre, devint de plus en plus passionné. Dans ses bras, Joanna tremblait de désir... Et quand il lui emprisonna un sein, elle gémit. Un gémissement rauque venu du plus profond d'elle-même. Fermant les yeux, elle se cambra contre lui, impatiente de s'offrir.

9.

— Seigneur ! Joanna, tu aurais dû me prévenir...

Ils étaient allongés sur la moquette de la salle de séjour. Autour d'eux, le sol était jonché de vêtements jetés au hasard. Joanna aperçut sa salopette rouge et, embarrassée, elle baissa les yeux.

Jamais elle n'aurait imaginé perdre sa virginité dans de telles conditions ! Aucune mise en scène. Ni champagne, ni bougies, ni lit aux draps de satin, ni déshabillé suggestif. Non, rien qu'une salopette tachée de peinture, un Coca-Cola, le sol en guise de couche... et un homme dont la veille encore elle ignorait l'existence.

— Pourquoi ne m'as-tu rien dit ? demanda Cole.

La gorge nouée, elle ne put prononcer une parole. Déjà, elle avait peur de ne jamais le revoir, de ne jamais renouveler l'expérience inoubliable qu'elle venait de vivre.

Cole regrettait-il ce qui venait de se passer ? Il paraissait si tendu, soudain... De son côté, elle était fière et heureuse de s'être donnée corps et âme à celui qui avait su éveiller ses sens et son cœur.

— Tu ne te rends pas compte..., chuchota-t-il. Je n'ai jamais profité ainsi de...

Joanna se blottit contre lui et lui offrit ses lèvres.

— Nous ne devrions pas, Joanna.

Gentiment moqueuse, Joanna l'embrassa. Cette fois, c'était elle qui provoquait.

— Pourquoi ? Tu ne veux pas ?

Incapable de lui résister davantage, Cole l'étreignit. La fièvre du désir les possédait de nouveau.

Un peu plus tard, après le départ de Cole, Joanna recouvra enfin ses esprits. Comment avait-elle pu s'abandonner ainsi dans les bras d'un inconnu ? Que lui était-il arrivé pour perdre le contrôle d'elle-même ? Elle qui se félicitait de pouvoir se dominer en toute circonstance !

Elle avait tellement honte qu'elle demeura enfermée chez elle pendant plusieurs jours, refusant de répondre au téléphone ou d'ouvrir sa porte, de crainte que ce ne soit Cole.

Mais lorsque Grace vint faire le siège de son appartement, elle ne put faire autrement que de la laisser entrer.

— Cole est venu me trouver, déclara-t-elle.

Il s'était confié à elle et lui avait demandé de l'aider. Car il s'était mis en tête d'épouser Joanna. Stupéfaite, la jeune femme écouta Grace lui dépeindre la vie qui l'attendait à Tidewater si elle acceptait la proposition de Cole.

— Les Macallister forment un véritable clan avec ses lois et ses traditions. Ils ne m'ont jamais acceptée... Je doute qu'ils t'accueillent à bras ouverts.

— C'est Cole que je suis censée épouser, pas sa famille, répliqua Joanna.

— Mais tu devras vivre à Tidewater. T'adapterastu? Moi, je n'y suis jamais parvenue. J'ai été très malheureuse là-bas.

— Du moment que Cole est à mes côtés, je crois que je serai heureuse n'importe où.

Eperdue d'amour, la jeune femme s'était jetée dans les bras de Cole lorsqu'il était venu la voir. Les jours qui suivirent furent les plus merveilleux de son existence. Le seul problème entre eux concernait la peinture. Cole estimait que Joanna aurait dû se consacrer à lui jour et nuit. Les heures qu'elle passait devant son chevalet lui semblaient perdues.

La jeune femme eut le tort de ne pas attacher suffisamment d'importance à ce point de discorde. Elle était persuadée qu'une fois mariés, tout s'arrangerait. A Tidewater, Cole retrouverait ses responsabilités et elle pourrait alors organiser son emploi du temps à sa guise.

Ils vécurent ensemble pendant quelques semaines avant de se marier. Cole retourna aux Etats-Unis pour annoncer la nouvelle aux siens. Mais il revint seul... Personne ne l'avait accompagné pour assister à la cérémonie.

— Ils ne peuvent pas quitter la plantation à cette époque de l'année, expliqua-t-il, l'air gêné. Tu comprends?

— Bien sûr.

Grace avait alors de nouveau tenté de mettre en garde son amie. Mais Joanna était trop amoureuse pour l'écouter. De plus, elle était persuadée que Grace exagérait...

Ils partirent deux semaines à Tahiti pour leur voyage de noces. Deux semaines idylliques pendant lesquelles se succédèrent de folles nuits d'amour et de longues siestes paresseuses sur la plage.

Dans les premiers temps de son séjour dans la grande demeure coloniale des Macallister, Joanna tenta de se persuader que tout allait pour le mieux dans le meilleur des mondes. Et cela, malgré l'hostilité de la mère de Cole, qui ne cachait pas qu'elle désapprouvait ce mariage. Malgré aussi la froideur de son beau-père, qui semblait à peine s'apercevoir de son existence.

« Lorsque Cole et moi aurons notre maison à nous, tout s'arrangera », se répétait-elle. En attendant, s'il lui fallait partager son mari avec une famille envahissante pendant la journée, les nuits lui appartenaient. Cole lui avait révélé sa sensualité et souvent, c'était elle qui le provoquait, avec toute la vitalité de sa jeunesse et de son amour.

Pour éviter les frictions, la jeune femme ne rejoignait les Macallister qu'au moment des repas — et seulement lorsque Cole était là. Elle avait en effet remarqué que lorsque ce dernier s'absentait, Margaret Macallister en profitait pour multiplier les remarques désagréables à son encontre. Or Joanna n'était pas aussi insensible à ces flèches acérées qu'elle aurait voulu s'en persuader.

Trop orgueilleuse pour se plaindre auprès de Cole, Joanna supportait en silence les multiples avanies dont l'accablaient ses beaux-parents.

Lorsqu'elle savait que Cole ne s'y trouvait pas, Margaret Macallister n'hésitait pas à entrer sans frapper dans la chambre du jeune couple. Elle changeait les meubles de place, apportait des fleurs et inspectait avec dédain le contenu des placards de Joanna. Plusieurs robes trop décolletées, trop moulantes ou aux couleurs trop vives disparurent ainsi...

Minée par ces attaques sournoises, Joanna perdit peu à peu toute sa confiance en elle. De jour en jour, la chaleur lui paraissait insupportable. Et elle se sentait tellement déprimée qu'elle ne dormait presque plus et s'alimentait à peine.

Un jour, elle attrapa un petit rhume. Dans des circonstances normales, elle aurait guéri très vite. Mais sa résistance se trouvait très amoindrie. Le rhume se transforma en bronchite, puis en pneumonie.

Sa belle-mère profita alors de son état de faiblesse pour transporter les affaires de Cole dans une autre chambre. A ce moment-là, Joanna n'était pas assez lucide pour se rendre compte de ce qui se passait. Lorsqu'elle trouva la force de protester, Cole prit le parti de sa mère.

— Elle a cru bien faire... Elle s'est dit que tu te reposerais mieux si tu étais seule dans ton lit. Je t'aurais dérangée, tu sais.

En un sens, il avait raison. Malgré tout, Joanna se sentait étrangement menacée. Cette impression se confirma lorsque Ryan Macallister envoya Cole traiter des affaires en Argentine.

— Combien de temps resteras-tu absent? lui demanda Joanna, affolée.

— Je ne le sais pas encore, ma chérie.

— Tu vas me laisser seule ici?

— Si tu n'avais pas été malade, je t'aurais emmenée. Mais dans ton état, c'est impossible...

La nuit précédant le départ de son mari, elle avait essayé d'obtenir des certitudes concernant leur avenir.

— Quand aurons-nous notre maison, Cole?

— Ce n'est pas le moment de penser à cela.

Attends d'avoir repris des forces ! Ici, tu n'as qu'à te laisser vivre… Profites-en !

Cole resta absent tout un mois. Il lui téléphonait assez régulièrement, mais quand il revint à Tidewater, les choses changèrent…

Joanna se sentait en partie responsable de ce changement. Mais comment aurait-elle pu deviner que son innocente amitié pour Nathan Smith allait déclencher un drame ?

Elle avait tellement besoin de s'échapper de l'atmosphère pesante qui régnait à Tidewater ! Les parents de Cole ne lui cachaient pas leur hostilité et les piques fusaient à chaque instant. En toute honnêteté, elle devait reconnaître que Ben et Joe se montraient aimables envers elle — tout au moins lorsque leur père ne se trouvait pas dans les parages. Et si Donna ne lui témoignait que de l'indifférence, Charley, en revanche, l'adorait. Tout comme Sandy, le petit dernier de la famille.

Malgré cela, Joanna saisissait toutes les occasions de sortir. Un carnet de croquis à la main, elle partait souvent se promener dans les environs. Il y avait tant de magnifiques paysages dans la plantation et aux alentours ! La rivière, les marais salants qui s'étendaient au-delà, la mer… et toute cette végétation semi-tropicale exubérante.

D'un naturel sociable, elle bavardait avec tous ceux qu'elle rencontrait : les ouvriers de la plantation, les domestiques ou les palefreniers. Pour elle, c'était normal. Pas un instant elle n'avait pensé qu'en agissant ainsi, elle allait à l'encontre des principes de ses beaux-parents, qui n'adressaient jamais la parole à ceux qu'ils considéraient comme des inférieurs.

***

Ce matin-là, Joanna était allée flâner le long de la rivière. Elle surprit un homme agenouillé sur la berge. En la voyant, il se releva d'un bond et voulut s'éloigner.

— Vous avez laissé tomber quelque chose dans l'eau ? demanda Joanna.

— Non...

Son carnet de croquis sous le bras, elle s'approcha de l'inconnu, un très beau métis aux cheveux crépus et à la peau café au lait. Joanna, qui ne l'avait encore jamais rencontré, se dit qu'il devait venir de Palmer's Point, le village misérable où habitaient la plupart des ouvriers de la plantation. Cole souhaitait leur faire construire des logements décents mais son père ne semblait guère enthousiaste... Il jugeait sans indulgence les plus pauvres de ses employés — surtout ceux qui avaient la charge d'une famille nombreuse.

— Que faisiez-vous ? demanda Joanna.

— Je taquinais le poisson. Oh ! Je ne voulais pas en prendre beaucoup. Seulement un ou deux.

— Vous êtes capable d'attraper des poissons à la main ?

Quand elle vit deux truites reposant sur une grande feuille, elle ne put que hocher la tête.

— C'est pourtant vrai !

Depuis le début, l'homme la regardait sans aménité.

— Vous devez être la femme de Cole, déclara-t-il soudain.

— Oui.

Joanna lui tendit la main, un peu surprise par l'hostilité qu'elle lisait dans le regard de l'inconnu.

— Joanna Macallister. Qui êtes-vous ?

— Nathan, déclara-t-il enfin avec réticence. Nathan... Smith. Puis-je vous demander de ne dire à personne que vous m'avez vu ici?

— A cause des poissons? Je ne pense pas que...

— Je n'ai pas le droit de pénétrer dans la plantation.

— Vous ne travaillez pas pour les Macallister?

— Non.

— Mais vous les connaissez puisque vous saviez que j'étais la femme de Cole!

— Tout le monde sait ça.

Nathan jeta un coup d'œil gêné aux alentours.

— Bon... Je ferais mieux de partir.

— Pas à cause de moi, j'espère! En tout cas, je vous promets que nul ne saura que je vous ai rencontré ici.

Avec une moue, elle ajouta à mi-voix, comme pour elle-même :

— De toute manière, à qui pourrais-je raconter ça? Cole est absent, et je ne suis pas en très bons termes avec ses parents. Restez! Bavardons un peu...

Visiblement tenté, Nathan hésita cependant.

— Vous ne me connaissez pas, vous ne savez rien de moi, murmura-t-il. Je pourrais être un assassin, un violeur, un...

— Vous avez le visage d'un homme honnête.

Nathan esquissa un sourire.

— Il faut se méfier des apparences, madame.

— Tant pis! Je prends le risque! Montrez-moi comment vous attrapez les poissons. Je voudrais apprendre!

*
**

Ce fut ainsi qu'ils devinrent amis. Et qu'elle se trouva mêlée à une histoire qui ne la concernait en rien. Nathan serait-il toujours vivant si elle ne l'avait pas persuadé de rester avec elle ce jour-là? Qui pouvait le savoir?

Au cours des mois qui suivirent, leur amitié se renforça. Nathan, fasciné par le talent de la jeune femme, la poussait à peindre. Tous deux passaient des heures à bavarder. L'art, la littérature, l'histoire de la Caroline du Sud... Nathan avait fait ses études à l'école baptiste de Beaumaris, et il était beaucoup plus instruit que la plupart des jeunes de la région.

Mais il refusait de parler de lui. Tout ce que Joanna put apprendre fut qu'il vivait à Beaumaris avec sa mère, qui était veuve. Les Macallister demeuraient un sujet tabou. Au point que la jeune femme en arrivait à penser que Nathan leur reprochait quelque chose...

Curieusement, il ne semblait pas avoir d'amis. Et comme Joanna se trouvait elle aussi très seule, ils se revirent de plus en plus fréquemment au bord de la rivière.

Heureusement qu'elle avait cet exutoire! Ses relations avec son mari se détérioraient chaque jour un peu plus. Depuis son retour d'Argentine, Cole restait froid et lointain. Il en voulait à Joanna de s'être remise à la peinture. Et à chaque fois qu'elle manifestait le désir d'avoir une maison à elle, il lui répondait invariablement que la propriété familiale était bien assez grande pour tous.

Assez grande? Elle l'était suffisamment, en tout cas, pour qu'il continue à faire chambre à part, sous prétexte que Cole se levait de très bonne heure et qu'il ne voulait pas la déranger. Mais il la rejoignait fréquemment le soir dans le grand lit qui avait été le leur. Ils se donnaient alors l'un à l'autre avec une passion presque désespérée.

Mais les mois passaient sans que Joanna devienne enceinte... Ce qui finit par éveiller les soupçons de Cole.

— Tu prends la pilule?

— Mais non, voyons!

Ses dénégations ne l'avaient pas convaincu. Et un jour, Joanna le découvrit en train de fouiller dans ses tiroirs.

— Où les caches-tu?

Furieuse et écœurée qu'il ne lui fasse pas confiance, Joanna lui ferma sa porte le soir même. Elle ne se rendait pas compte, alors, qu'en agissant ainsi, elle favorisait le jeu de Ryan Macallister...

Cole était un homme trop orgueilleux pour la supplier de lui ouvrir. A partir de ce jour, il ignora complètement sa femme, et Joanna comprit qu'elle devait y mettre du sien si elle voulait éviter la séparation.

« Il faut que je lui parle, il faut essayer de tout arranger », se dit-elle.

Les premiers mois de leur mariage n'avaient pas été spécialement réussis. Mais ils s'entendaient à merveille sur le plan physique. Et Joanna demeurait persuadée que Cole l'aimait toujours. S'ils faisaient quelques efforts, chacun de leur côté, tout pouvait encore être sauvé.

Hélas! elle ne savait pas encore qu'il n'y avait plus d'espoir...

Lors de son arrivée à Tidewater, on lui avait attribué une vieille voiture — probablement pour conduire les enfants à l'école quand personne d'autre n'était disponible, soupçonnait-elle.

Grâce à cette voiture, elle disposait cependant d'une certaine liberté. Et pendant le week-end, il lui arrivait souvent d'emmener Charley passer deux ou trois heures à Beaumaris pour faire les magasins ou flâner sur le port.

De tous les Macallister, Charley était celle avec qui Joanna se sentait le plus d'affinités. La petite fille la suivait comme une ombre depuis qu'elle lui avait sauvé la vie. Ce jour-là, toutes deux avaient été pique-niquer sur l'île. Le niveau de la rivière avait brusquement monté, et elles auraient probablement été emportées par les eaux tumultueuses si Joanna n'avait pas risqué sa vie pour rejoindre la rive à la nage afin de donner l'alerte.

Après cela, Cole avait paru se rapprocher d'elle. Le désolant épisode des contraceptifs avait tout remis en cause...

Un samedi matin, comme tant d'autres, Joanna et Charley prirent la route de Beaumaris. Joanna demeura silencieuse pendant tout le trajet. Elle se demandait comment aborder Cole, comment lui parler, comment le convaincre... Elle en était là de ses réflexions quand elle aperçut soudain son mari sur la place principale de Beaumaris.

Cole n'était pas seul. Une jeune femme blonde vêtue d'un survêtement rose vif bavardait avec lui.

Les mains de Joanna se crispèrent sur le volant. Elle croyait qu'il était allé faire travailler les chevaux avec Ben. C'était du moins ce que Margaret Macallister lui avait dit... Mais il suffisait de voir sa tenue pour comprendre qu'il n'avait eu aucune intention de monter à cheval ce matin-là.

— Oh, non! s'exclama Charley.

A cet instant, la jolie blonde ébouriffa les cheveux de Cole. Leur attitude suggérait sans la moindre équivoque qu'ils étaient très intimes.

— Qui est-ce? demanda Joanna d'une voix blanche.

— Sammy-Jean Butler. Mais qu'est-ce qu'il fabrique avec elle?

S'efforçant de ne pas montrer son désarroi, Joanna gara sa voiture à l'autre bout de la place.

— Ils ont dû se rencontrer par hasard, dit-elle d'un ton léger. Qui est cette Sammy-Jean? Un ancien flirt de ton frère?

— Si on veut.

— Oui ou non?

— Eh bien, papa et maman voulaient que Cole l'épouse, parce que la plantation des Butler se trouve juste à côté de Tidewater. Papa et M. Butler disaient souvent que si Cole et Sammy-Jean...

Joanna n'en écouta pas plus. Elle s'obligea à sortir de voiture, faisant appel à tout son courage pour affronter son mari. Mais lorsqu'elle arriva à l'endroit où elle l'avait vu cinq minutes auparavant, il avait disparu.

Devait-elle s'en plaindre ou s'en réjouir? Elle l'ignorait. Elle savait seulement qu'elle ne ferait plus jamais confiance à Cole.

10.

Incommodée par la chaleur, Joanna prit une longue douche tiède. Durant ces trois années passées loin de Tidewater, elle avait vraiment perdu l'habitude de ce climat...

Elle sortait de la salle de bains lorsque Charley, tout juste rentrée du collège, frappa à la porte.

— Donna est odieuse ! s'exclama-t-elle en entrant. Les jumeaux devraient pourtant s'entraider, non ? Eh bien, elle, elle prend un malin plaisir à me gâcher la vie !

Joanna, qui était en train de se sécher les cheveux, débrancha le séchoir.

— Allons, du calme ! Par cette chaleur, on ne se met pas en colère. Raconte-moi les méfaits de Donna. Elle t'a chipé ton petit copain ?

— Pire !

Charley s'assit au bout du lit et contempla la moquette avec désespoir.

— Elle a raconté à maman que j'étais amoureuse de Billy !

Joanna hocha la tête tout en ramenant autour d'elle les pans de son peignoir de soie.

— Oh ! Je vois...

— C'est tout ce que tu trouves à dire? Maman m'a interdit de sortir pendant tout un mois. Et elle m'a prévenue que si j'essayais de revoir Billy, elle demanderait à papa de le jeter hors de Palmer's Point.

Cette déclaration consterna Joanna. Ryan Macallister n'hésiterait pas une seconde à agir! Quand il s'agissait de piétiner les gens, cet homme n'avait pas d'états d'âme. Joanna n'avait pas oublié comment il avait traité Sarah.

— As-tu parlé à Cole? demanda Charley.

— Pas encore. Je suis seulement arrivée hier, tu sais!

— Et papa? T'a-t-il dit pourquoi il voulait te voir?

Un léger soupir échappa à Joanna.

— Je préfère ne pas aborder ce sujet maintenant. Ecoute, je vais raconter à Cole ce qui s'est passé...

— Comme si tu avais besoin de le mettre au courant! Ne t'inquiète pas, maman s'en sera déjà chargée. Que vais-je faire maintenant?

Au bord des larmes, Charley s'écria :

— Personne ne me comprend! J'aime Billy. Je ne peux pas me passer de lui...

Emue, Joanna passa un bras autour des épaules de l'adolescente.

— Ne désespère pas. Je vais essayer d'arranger les choses. Mais je ne peux rien te promettre... Et en attendant, ne prends pas d'initiative. D'accord?

— D'accord. Cole t'écoutera, j'en suis sûre. Il est toujours amoureux de toi... Tu sais, plus rien n'a été comme avant à Tidewater, après ton départ...

Que répondre à cela? Joanna préféra en revenir à leur premier sujet de conversation.

— Ecoute, Charley, je ferai mon possible. Maintenant, laisse-moi me préparer pour dîner.

*
**

Une demi-heure plus tard, vêtue d'un large bermuda de soie marron glacé et d'un chemisier assorti, Joanna descendit dans la bibliothèque.

A sa grande surprise, la pièce était vide. Après avoir attendu pendant cinq minutes, elle décida de se servir à boire. Elle n'avait pris que de l'eau durant la journée, et elle avait soudain envie d'un peu d'alcool.

Devant le bar, elle hésita. Un whisky? Non, si elle voulait garder les idées claires, mieux valait se contenter d'un verre de chablis.

Elle était en train de le déguster à petites gorgées lorsqu'elle aperçut Cole. Adossé au chambranle de la porte, il la contemplait, une lueur étrange dans le regard.

Ses cheveux d'or pâle, encore humides, étaient rejetés en arrière, dégageant ainsi son beau visage bronzé. Vêtu d'un pantalon marine et d'un T-shirt en coton de la même couleur, il avait beaucoup d'allure.

— Tu veux un peu de vin? demanda Joanna en levant son verre. Il est excellent, je te le recommande.

A pas lents, Cole traversa la pièce. Au fur et à mesure qu'il s'approchait d'elle, la jeune femme sentait la nervosité la gagner.

Sans paraître remarquer le trouble de sa compagne, Cole se servit une généreuse ration de bourbon. Assaillie par le parfum légèrement musqué de l'after-shave qu'il portait, Joanna ferma les yeux. Ce parfum, elle l'aurait reconnu partout...

— Nous serons seuls ce soir, déclara-t-il soudain. Maman, Sandy et les jumelles sont allés dîner chez Joe. Quant à Ben, il avait un rendez-vous...

Pour se donner une contenance, Joanna but une gorgée de vin.

— Je croyais que Charley n'avait pas le droit de sortir, murmura-t-elle.

— Vraiment? Je n'étais même pas au courant.

Etait-ce le moment de lui parler des problèmes de Charley? Après avoir hésité, Joanna décida que non. Mieux valait qu'elle soit bien informée de la situation avant de s'en mêler.

— Ton père dînera avec nous? demanda-t-elle.

— Pas ce soir.

— Pourquoi? Il n'est pas...

— ... plus mal? Non, s'il a préféré dîner dans sa chambre, c'est pour nous laisser en tête à tête.

— Je me demande bien de quoi nous pouvons parler!

— Il veut que nous nous réconcilions.

— Pardon? Il veut que nous recommencions à vivre ens...

— Mais non! Il est malade, pas sénile! Il souhaite simplement que nous tâchions d'oublier nos dissensions pour nous comporter comme des gens civilisés. Avec courtoisie...

— Pourquoi?

— Qui sait? Les gens qui se savent proches de la mort ont parfois des idées bizarres. Je pense qu'il désire...

— Soulager sa conscience? suggéra la jeune femme.

Cole la foudroya du regard.

— J'étais sûr que tu allais dire ça! s'exclama-t-il. Je savais bien qu'on ne pouvait pas attendre de ta part un minimum de compassion.

— Et de ta part à toi? répliqua-t-elle, amère. Peut-on attendre un peu de compassion?

— Si tu t'expliquais mieux?

— Tu sais très bien pourquoi ton père voulait me voir.

— Oui, je viens de te le dire!

— Tu te moques de moi?

— Arrête de raconter n'importe quoi, Joanna! Cette situation est très pénible pour moi. Pour nous deux, d'ailleurs... A quoi bon rendre les choses plus difficiles?

— Un peu de logique, s'il te plaît. Tes parents ont tout fait pour nous éloigner l'un de l'autre. Alors pourquoi ton père souhaiterait-il que nous nous rapprochions? Il n'y a aucune raison pour qu'il change d'avis maintenant. A ses yeux, je suis toujours une étrangère. Celle qui a démoli tous les plans qu'il avait soigneusement élaborés pour son petit garçon chéri...

— Je te signale que tu n'as fait aucun effort pour t'adapter. Tu ne savais que te plaindre. Tu n'aimais pas notre manière de vivre, tu trouvais que nous traitions mal nos ouvriers, que nous ne les faisions pas soigner correctement... En somme, tu n'as su que semer la discorde.

— On croirait entendre ton père.

— Tais-toi!

— Pourquoi? Mais quand donc les Macallister admettront-ils que nous sommes au XXe siècle?

En serrant les poings, Cole s'avança vers elle d'un air menaçant, et Joanna, effrayée, recula d'un pas. Par chance, une femme de chambre parut pour annoncer que le dîner était servi.

— Merci, Sally, répondit-il.

D'un trait, il termina son whisky et s'effaça pour laisser Joanna passer devant lui. Seulement deux couverts avaient été disposés sur la longue table d'acajou au-dessus de laquelle tournoyaient des ventilateurs.

Cole se dirigea vers la place que son père avait occupée la veille. C'était à prévoir! Il ne restait plus à Joanna qu'à s'asseoir près lui. Trop près... Mais cela ne valait-il pas mieux que de lui faire face?

En silence, ils commencèrent à manger. La jeune femme n'avait absolument pas faim, mais elle s'efforça de faire honneur au délicieux dîner qu'on leur servit. Soupe de poissons, caille farcie...

Pourquoi ne disait-elle pas à Ryan Macallister d'aller au diable? Elle ne lui devait rien! De plus, il était évident que Cole ne tenait pas à ce qu'elle s'attarde à Tidewater. Par conséquent, elle n'avait qu'à boucler ses valises, repartir à l'hôtel Coral Beach et tâcher d'oublier ce séjour éprouvant.

— Vois-tu quelquefois Sarah? demanda-t-elle sans autre préambule.

Une telle question allait forcément le mettre en colère. Mais elle s'en moquait.

Avec une lenteur calculée, Cole posa sa fourchette et prit son verre de vin.

— Pourquoi?

— Je voudrais savoir comment elle va.

— Très bien.

— Et Henry?

— Je te l'ai déjà dit. Il travaille aux écuries. Que veux-tu, il faut bien qu'il vive. Et qu'il subvienne aux besoins de sa mère...

— C'est ainsi qu'il s'achète une bonne conscience?

Cole fronça les sourcils.

— Faut-il te rappeler qu'Henry travaillait à Tidewater bien avant que tu ne fasses la connaissance de son frère? Il aime son job. Et il a un don pour s'occuper des chevaux...

— Il y a d'autres places...

— Pas pour quelqu'un comme Henry. De toute façon, Sarah désire qu'il continue de travailler à Tidewater... Bon! Le sujet est clos?

— Pourquoi m'empêches-tu de voir Sarah?

Pendant quelques secondes, Cole demeura silencieux.

— A ton avis? demanda-t-il enfin.

— Je ne sais pas. Je te pose la question.

— Très bien. Eh bien, apprends que c'est elle qui ne veut pas te voir.

— Je ne te crois pas! s'écria Joanna, aussi stupéfaite que blessée.

— C'est pourtant la vérité. Réfléchis un instant. Tu ne te rends pas compte que ta présence lui rappellerait de trop mauvais souvenirs?

— Est-ce que... est-ce qu'elle me hait?

— Sarah ne hait personne.

— Même pas ton père?

— Même pas. Tu la connais! Ce n'est pas une femme vindicative.

Cole ponctua ses paroles d'un profond soupir.

— Cesse donc de penser que tu as des ennemis partout, Joanna! Aurais-tu la maladie de la persécution? Tâche de te détendre et de profiter de ton séjour à Tidewater.

— Facile à dire! Tu comptes sans doute t'arranger pour le rendre agréable?

— C'est moi qui t'ai amenée ici. Je suppose que je dois en supporter les conséquences...

— Eh bien, merci!

D'un geste brusque, Cole posa sa serviette sur la table. Puis il se leva.

— Demain, je t'emmènerai à Palmer's Point, déclara-t-il. Je voudrais te montrer quelque chose...

— Quoi ?

— Tu verras demain. Et maintenant, si tu veux bien m'excuser... J'ai du travail.

Sceptique, Joanna jeta un coup d'œil en direction de la fenêtre. La nuit était tombée depuis longtemps et d'énormes papillons de nuit, attirés par la lumière, se cognaient contre les vitres.

— Quel genre de travail ? demanda-t-elle.

— De la paperasserie. Il faut bien que quelqu'un s'occupe de diriger le domaine. Mon père n'en est plus capable.

Se tournant vers la femme de chambre qui commençait déjà à débarrasser la table, il ajouta :

— Si tu as besoin de quoi que ce soit, demande à Mary-Lou. A demain !

— A quelle heure ?

— 7 heures, lança-t-il sans même se retourner.

Jugeant qu'elle n'avait plus rien à faire en bas, Joanna monta dans sa chambre. Il y avait toujours des bruits étranges dans cette vieille maison. Les parquets craquaient, les persiennes claquaient, et parfois l'électricité vacillait. Comme en ce moment...

Vaguement inquiète, la jeune femme suivait un long corridor lorsqu'elle entendit un inquiétant chuintement derrière elle. Faisant appel à tout son courage, elle se retourna et s'aperçut que Ryan Macallister la suivait dans sa chaise roulante.

— Je vous ai fait peur, Joanna ?

— Vous trouvez ça drôle ?

Joanna mit les poings sur ses hanches et imita l'accent traînant des ouvriers de la plantation.

— J'pensais qu'avec l'âge, m'sieur Macallister, vous vous étiez assagi...

Si cette réflexion railleuse le mit en colère, il n'en montra rien.

— Vous lui avez parlé? demanda-t-il.

— Bien sûr, nous avons dîné ensemble. Vous auriez dû venir. Les cailles farcies étaient délicieuses et...

— Cessez de vous moquer de moi, ma fille!

Soudain, Joanna se sentit très lasse. L'énergie pour poursuivre ce petit jeu lui manquait.

— Nous avons parlé de tout et de rien, déclara-t-elle. Je vous en prie, ne me posez pas de questions ce soir, je suis très fatiguée.

— Je sais que vous vous êtes entretenus de Nathan! s'écria Ryan. Hannibal vous a aussi entendus mentionner le nom d'Henry et celui de Sarah...

— Vous avez envoyé Hannibal nous espionner?

— Ça ne sert plus à grand-chose, marmonna le père de Cole. Il est sourd comme un pot! Mais n'essayez pas de me raconter des histoires, Joanna! Je sais tout ce qui se passe dans cette maison.

— Dans ce cas, vous n'avez pas besoin que je vous mette au courant!

Sur ces mots, elle pénétra dans sa chambre et en claqua la porte avec violence.

11.

Les yeux clos, Joanna demeura adossée à la porte pendant quelques minutes. Il lui fallait être constamment sur ses gardes. C'était épuisant... Que n'aurait-elle donné pour ne plus jamais penser aux Macallister !

Après s'être déshabillée, elle s'aspergea le visage d'eau fraîche et se glissa entre les draps. Hélas ! Le sommeil refusa de venir. Mille pensées la harcelaient. Mille souvenirs...

Pourquoi Cole voulait-il l'amener à Palmer's Point ? Ce village composé de misérables baraques ressemblait à s'y méprendre à un bidonville... Lorsqu'elle vivait à Tidewater, Joanna n'avait pas caché sa réprobation. Comment les Macallister osaient-ils faire vivre leurs ouvriers dans de pareils taudis ?

Les Smith habitaient à Palmer's Point avant la mort d'Adam, le mari de Sarah. Puis Ryan Macallister avait relogé Sarah et ses deux fils de celle-ci à Beaumaris.

Lorsque Joanna avait fait la connaissance de Sarah, c'était toujours une très belle femme. Mais à dix-huit ans, avec ses yeux en amande, sa silhouette de rêve et sa peau café au lait, elle devait être d'une beauté spectaculaire.

Son aîné, Henry, avait déjà deux ans lorsqu'on s'aperçut qu'il était un peu en retard pour son âge. Ryan Macallister avait alors décidé de confier l'enfant à un spécialiste de Charleston. Il l'y conduisait lui-même régulièrement. Bien entendu, Sarah accompagnait son fils...

Les raisons de Ryan Macallister n'avaient rien de philanthropique. La jolie Sarah lui plaisait... Et comment une pauvre villageoise aurait-elle pu résister au maître de Tidewater, un homme puissant, fortuné — et capable de déployer beaucoup de charme pour parvenir à ses fins?

Lorsque Sarah apprit à Ryan Macallister qu'elle était enceinte de lui, il voulut la faire avorter à Charleston. Elle refusa catégoriquement, affirmant qu'elle se débrouillerait même si Adam décidait de la jeter dehors.

Le destin voulut qu'Adam meure accidentellement quelques semaines plus tard, écrasé par une machine agricole. Le chagrin rendit Sarah encore plus vulnérable. Ryan Macallister en profita alors pour la pousser à quitter Palmer's Point et à s'installer à Beaumaris. C'était assez loin de Tidewater pour que personne ne s'aperçoive de la ressemblance du bébé avec lui. Et en même temps assez près pour qu'il puisse rendre visite à Sarah...

Joanna ne savait rien de cette histoire lorsqu'elle avait fait la connaissance de Nathan. Mais de confidence en confidence, elle avait appris que Ryan Macallister entretenait une liaison avec Sarah... Selon Nathan, Margaret Macallister ignorait tout de la double vie de son mari. Et elle était loin de se douter qu'il avait un fils illégitime!

En un sens, Joanna comprenait Sarah. A sa place, quelle femme n'aurait pas été sensible aux attentions de Ryan Macallister? Sarah habitait maintenant une jolie maison à Beaumaris au lieu d'une immonde baraque à Palmer's Point. Et grâce aux soins d'un spécialiste réputé, Henry avait pu être complètement guéri.

Un jour, Nathan avait emmené Joanna voir sa mère. Sur les conseils de Sarah, Joanna alla visiter Palmer's Point et fut horrifiée par les conditions de vie des ouvriers qui travaillaient dans la plantation.

A force de douceur et de patience, elle s'était attiré la sympathie des femmes du village. Elles se mirent à lui parler de leurs difficultés et à lui demander conseil. Et ce fut ainsi que Joanna eut l'idée d'installer un dispensaire dans l'une des baraques, repeinte en blanc pour l'occasion. Elle avait réussi à mobiliser toutes les femmes, jeunes et moins jeunes. Un médecin de Beaumaris accepta même de venir donner des consultations gratuites une fois par semaine.

L'ironie de la situation n'échappait pas à Joanna. Si elle réussissait à trouver des solutions aux problèmes des autres, elle ne savait comment résoudre les siens. Sa propre existence était un échec total. Son mari l'ignorait et ne pensait plus qu'à cette Sammy-Jean...

Un après-midi, Cole se rendit au dispensaire où il trouva Joanna et Nathan en train de travailler ensemble. A Tidewater, tout le monde connaissait maintenant l'existence du dispensaire. Mais personne n'avait eu la curiosité de venir le visiter.

Naturellement, Ryan Macallister n'approuvait pas l'idée de Joanna, et il avait menacé à plusieurs reprises de faire fermer l'établissement. Aussi, lorsque Joanna vit arriver Cole, pensa-t-elle immédiatement qu'il venait exécuter les ordres de son père.

— Tu n'as rien à faire ici ! s'écria-t-elle. Va-t'en ! Tu m'entends ?

Cole se fâcha, et Nathan voulut intervenir pour défendre Joanna.

— Qui êtes-vous ? demanda Cole en le toisant avec mépris. Je ne vous connais même pas ! Vous n'êtes pas un ouvrier de la plantation, j'en suis sûr. Seriez-vous un médecin ?

— Non, je...

— Que faites-vous avec ma femme ? Je vous interdis de...

Furieuse, Joanna s'était interposée.

— Dis-moi, sais-tu qui est Nathan ? Oh ! Il s'appelle peut-être Smith, mais en réalité, c'est un Macallister. Tout comme toi ! Nathan n'est autre que ton demi-frère.

Cette révélation avait laissé Cole sans voix. Abasourdi, il était allé trouver son père pour lui demander la vérité. Une scène terrible avait suivi.

La nouvelle s'était répandue comme une traînée de poudre. A la grande surprise de Joanna, Margaret Macallister ne manifesta aucune émotion particulière. Probablement parce qu'elle était au courant depuis longtemps et qu'elle avait choisi de fermer les yeux...

Au fond, il s'agissait d'une histoire d'une banalité affligeante. Et tout serait retombé dans l'oubli si Ryan Macallister, furieux de l'indiscrétion de Joanna, n'avait voulu se venger.

Quelques jours plus tard, lorsque Joanna voulut

aller voir Sarah à Beaumaris, elle trouva porte close. Puis elle se rendit au dispensaire... Il avait été détruit par un bulldozer. Lorsqu'elle tenta de découvrir ce qui s'était passé, personne ne voulut lui répondre. Les femmes de Palmer's Point l'évitaient, alors que la veille encore, elles l'accueillaient avec chaleur. Quant à Nathan, il ne donnait plus aucun signe de vie. Joanna n'osa pas aller demander de ses nouvelles à l'école de Beaumaris où il enseignait.

Un terrible sentiment de culpabilité l'envahit alors. Tout était sa faute ! Seul Cole pouvait l'aider. Mais ils ne se parlaient plus depuis le jour où il avait fait irruption dans le dispensaire. Réussirait-elle à lui faire comprendre combien tout cela était injuste ? Pauvre Nathan ! Avait-il demandé à naître ? Avait-il choisi ses parents ?

Ce soir-là, Joanna attendit que tout le monde soit couché pour aller frapper à la porte de Cole. Personne ne répondit... Faisant appel à tout son courage, elle ouvrit. La chambre était vide.

Elle s'apprêtait à fermer la porte lorsque Cole arriva. Il avait dû faire la tournée des bars en ville, car il titubait légèrement.

— Une visite de ma chère épouse ! Quel honneur !

— J'ai à te parler, Cole.

— Vas-y ! Autant te libérer la conscience !

Voyant qu'elle ne comprenait pas, il ricana.

— Allons, pas de comédie ! Je sais ce que tu vas me dire... Que tu regrettes de m'avoir trompé avec Nathan. Raconte-moi tout ! C'est vrai qu'il aime les grosses ?

Depuis que son mari la négligeait, Joanna, qui avait tendance à se consoler en forçant sur la nourriture et l'alcool, avait pris deux ou trois kilos. De là à la traiter de grosse ! De là à l'accuser d'avoir pris un amant !

Sans réfléchir, elle leva la main et le gifla de toutes ses forces.

— Il n'y a jamais rien eu entre Nathan et moi ! Jamais !

— Et tu penses que je vais croire ça ? Une petite bombe sexy comme toi ne peut pas vivre dans l'abstinence. Et étant donné que je ne suis plus à ta disposition...

Ecœurée, Joanna recula d'un pas.

— Pour toi, il n'y a donc que le sexe qui compte ?

— Bien sûr.

— Et l'amour ? Je pensais que nous nous aimions...

— Je t'en prie, épargne-moi ces jérémiades. Tu ne m'as jamais aimé. Tu ne t'intéresses qu'à la peinture. Ton art, comme tu dis ! Au début, j'espérais que tu oublierais ces bêtises et que nous aurions des enfants. Mais tu n'en veux pas.

— Tu voudrais que j'élève mes enfants dans cette maison ?

— Pourquoi détestes-tu Tidewater, Joanna ? Tu n'as pas fait le moindre effort pour t'adapter. Délibérément, tu as détruit notre couple...

— Comment oses-tu affirmer une chose pareille ? Est-ce moi qui ai quitté la chambre conjugale ? Est-ce moi qui suis partie en Argentine ? Aujourd'hui, nous sommes comme des étrangers l'un pour l'autre et...

— A qui la faute ? Après plus d'un an de mariage, tu n'es toujours pas enceinte ! Comment expliques-tu cela ?

— Je te retourne la question. Parce que, au cas où tu l'ignorerais, il faut être deux pour faire un bébé !

A ces mots, Cole pâlit.

— Espèce de... de...

Furieux que Joanna ose mettre en doute sa virilité, il la prit par le bras et la secoua sans douceur.

— Tu ferais perdre patience à un saint ! Tu...

Avec un gémissement étouffé, il l'étreignit.

— Oh ! Je te veux... Tu me rends fou...

Avant qu'elle n'ait pu réagir, il lui infligeait un baiser brutal. Agissait-il sous l'emprise de la haine ? De l'amour ? Joanna ne savait plus...

Ils firent l'amour passionnément, désespérément. Comme si c'était la dernière fois. Peu après, épuisés, haletants, ils gisaient dans les bras l'un de l'autre lorsqu'on frappa à la porte.

— Cole, tu es là ? demanda Ryan Macallister. Viens vite, Nathan est mort. Noyé...

Les jours qui suivirent furent un véritable cauchemar. La mort de Nathan acheva de briser le lien ténu qui rapprochait encore Joanna de Cole. A Tidewater, les scènes succédaient aux scènes, et Joanna accusait son mari d'avoir ignoré son demi-frère. Et elle reprochait à Ryan Macallister de ne manifester aucun chagrin.

L'atmosphère devint irrespirable. Rester à Tidewater ? Il n'en était plus question. Joanna commença à faire ses bagages, tout en jurant de ne jamais remettre les pieds dans cette maison.

Elle tint cependant à assister aux obsèques de Nathan. Sarah, terrassée par le chagrin, accusa Ryan Macallister d'être responsable de la mort de son fils.

Des mois plus tard, bien après avoir quitté la Caroline du Sud, Joanna faisait toujours des cauchemars, revivant toutes ces scènes terribles. Qu'avait-il pu se passer cette nuit-là, au bord de la rivière? Comment Nathan avait-il pu se noyer, lui qui était si bon nageur? Etait-ce un accident? Ou bien avait-il voulu en finir avec la vie?

Jamais elle n'obtiendrait de réponse à ces questions lancinantes. Et jamais elle ne pardonnerait à Ryan Macallister tout le mal qu'il avait fait.

12.

Il y avait des années que Joanna n'avait pas fait de cheval. Elle avait appris l'équitation étant enfant. Et dans les premiers temps de son séjour à Tidewater, il lui arrivait parfois de partir en promenade à travers champs avec Cole.

Mais après sa pneumonie, Cole ne lui avait plus jamais proposé de l'accompagner. Et elle n'allait certainement pas prendre l'initiative de le suivre !

Ce matin, lorsque Cole lui avait annoncé qu'ils se rendraient à Palmer's Point à cheval, la jeune femme avait frémi. Et à présent, une sourde angoisse lui nouait l'estomac. D'autant que la jolie jument grise que Cole avait choisie à son intention paraissait assez ombrageuse. Pourtant, il lui avait assuré qu'il s'agissait de l'une des montures les plus dociles de l'écurie.

Sans doute lui communiquait-elle sa nervosité, songea Joanna. La proximité de son ex-mari la troublait tant... En dépit de tous les griefs qu'elle nourrissait contre lui, elle ne pouvait se défendre de le trouver irrésistiblement attirant.

En revanche, lui semblait à peine la remarquer. Froid, détaché, il maîtrisait aisément ce grand étalon bai, qui pourtant ne paraissait pas très commode.

L'espace d'un instant, Joanna se demanda comment ils avaient pu divorcer. Puis elle se souvint aussitôt de Nathan. Et de Sammy-Jean. Et elle s'en voulut de sa faiblesse.

— Tu as besoin d'un chapeau, dit soudain Cole.

Esquissant une moue dédaigneuse, il détailla le bermuda rose et la chemise trop large que portait la jeune femme. Puis il descendit de cheval et se dirigea vers la sellerie. Il en sortit presque aussitôt, brandissant un Stetson cabossé.

— Tiens, mets ça ! Ce n'est peut-être pas très joli, mais ça te rendra service.

Joanna s'empara du chapeau qu'il lui tendait. A peine l'eut-elle posé sur sa tête que son chignon se dénoua et que ses cheveux tombèrent sur ses épaules. Elle laissa échapper une exclamation agacée et Cole, qui s'était remis en selle, se tourna vers elle.

— Un problème ?

— Non, rien de grave...

Elle réunit ses cheveux sur le sommet de sa tête et enfonça le chapeau dessus.

— Voilà ! A propos, où est Henry ? demanda-t-elle. Je n'ai pas le droit de lui dire bonjour, à lui non plus ?

— Henry travaille seulement l'après-midi. Le matin, il aide sa mère à la pension de famille.

— Sarah travaille dans une pension de famille, maintenant ?

— Elle la dirige. On galope un peu ?

— Si tu veux...

La jeune femme aurait voulu poser d'autres questions mais elle n'en eut pas le temps. Cole était parti devant à vive allure et elle dut pousser sa jument pour se maintenir à sa hauteur.

Elle savait toujours monter à cheval – cela ne s'oubliait pas. Cependant la pratique lui manquait... Et il lui fallut un certain temps avant de parvenir à s'adapter au rythme de sa monture.

Ils traversèrent des prés couverts de rosée. Puis ils pénétrèrent dans les bois et le bruit de leur galopade fut amorti par un épais tapis de feuilles mortes. Joanna savait que de l'autre côté s'étendaient des champs de coton. Aussi, quelle ne fut pas sa surprise lorsqu'elle se rendit compte que les cotonniers aux fleurs jaunes ou pourpres avaient disparu, remplacés par des cultures céréalières, des vergers ou des prés où paissaient paisiblement des troupeaux...

A l'entrée d'un champ de canne à sucre, Cole mit son cheval au pas. Malgré l'heure matinale, le soleil cognait déjà fort. Attirés par l'odeur des chevaux, des insectes formaient un nuage compact autour d'eux. En fin de compte, Joanna était ravie que Cole lui ait obligée à porter ce vilain Stetson.

Et soudain, son euphorie disparut. Elle venait de se rappeler que des énormes araignées proliféraient dans les cannaies. Par chance, elle n'en vit pas une seule. Tout à sa phobie, elle n'avait pas remarqué qu'ils arrivaient au bout du champ. Un peu désorientée, elle regarda autour d'elle. Que de changements à Tidewater! C'était à peine si elle parvenait à s'orienter.

Pourtant, elle entendait le murmure de la rivière. Par conséquent, ils ne devaient pas se trouver bien loin de Palmer's Point.

Mais pourquoi Cole avait-il insisté pour l'amener par ici? C'était vraiment le dernier endroit qu'elle souhaitait revoir! Il n'avait donc aucun tact?

Sans même se retourner pour voir si elle le suivait, Cole mit son cheval au trot sur la route qui menait au village. Furieuse, elle éperonna sa jument et partit au galop. Elle était tellement en colère qu'elle ne songea même pas à regarder les berges de la rivière. Pourtant, elle avait passé de longues heures assise là, dans l'herbe, avec son carnet de croquis.

— Pourquoi aller là-bas ? demanda-t-elle en rejoignant Cole.

— Tu verras...

— Quelle sinistre plaisanterie !

Ils venaient d'arriver sur une hauteur d'où l'on pouvait dominer le village et, stupéfaite, Joanna arrêta sa monture. Soudain, elle ne comprenait plus...

Où étaient les masures aux toits de tôle maintenue par des pierres ? A la place, on voyait des cottages modernes tout blancs. Respectant l'architecture de la région, ils étaient construits sur pilotis — de manière à conserver une certaine fraîcheur dans les pièces. Chaque maison était encadrée de deux petits jardins. Dans celui de devant, on cultivait des fleurs. Derrière, des légumes...

— Alors, tu trouves toujours qu'il s'agit d'une sinistre plaisanterie ? murmura Cole.

Son étrier frôla la jambe de la jeune femme qui sursauta.

— C'est ton père qui a fait tout ça ? demanda-t-elle.

Elle ne parvenait à croire que ce qu'elle voyait était bien réel. Ryan Macallister se préoccupant du bien-être de ses ouvriers ? Cela paraissait inimaginable !

Cole reprit ses rênes et dirigea son cheval vers la rue principale de ce joli village tout neuf.

— Je t'ai dit hier que je voulais te montrer quelque chose. J'espère que tu n'es pas déçue, Joanna ! Et attends, ce n'est pas tout...

Leur passage suscitait l'attention. Une femme sortit sur sa véranda et les héla.

— Bonjour, monsieur Cole!

— Bonjour, Susan.

En souriant, la femme s'accouda à la balustrade. Joanna n'en revenait pas. Le village était transformé, mais l'attitude de ses habitants aussi. Quelques années auparavant, jamais une femme de Palmer's Point n'aurait interpellé un Macallister avec cette simplicité chaleureuse.

Soudain, Joanna la reconnut. Il s'agissait de Susan Fenton, la mère de Billy Fenton.

— Vous vous souvenez de Joanna? demanda Cole à cette dernière.

— Bien sûr. Bonjour, madame Macallister. J'ai entendu dire que vous étiez de retour à Tidewater. Vous ne vous attendiez pas à un pareil changement, n'est-ce pas?

— J'avoue que non... Comment allez-vous, Susan? Vous avez l'air en pleine forme!

Epanouie, Susan Fenton attendait un bébé. La grossesse lui allait bien. Comme elle était jolie dans sa robe de cotonnade fleurie!

Elle souriait toujours à Cole. Et Joanna se sentit soudain étrangement mal à l'aise. Comme son père, le fils avait-il trouvé à se distraire à Palmer's Point?

A cet instant, Susan posa la main sur son ventre rond.

— Ça, vous pouvez le dire, madame Macallister. Je suis en pleine forme! Je vous assure que tout le monde est bien plus heureux ici depuis que M. Cole nous a fait construire ces jolies maisons. Il faudrait être difficile pour se plaindre!

— Quand doit naître le bébé, Susan? s'enquit Joanna.

— Dans deux mois. Voulez-vous boire quelque chose? Une citronnade bien fraîche...

— Non, merci, coupa Cole. Il faut que vous vous reposiez, Susan. J'espère que Jonas vous aide un peu...

— Bien sûr qu'il m'aide! Il est si gentil... A bientôt, madame Macallister.

— A bientôt, Susan.

Joanna attendit qu'ils se soient éloignés pour demander à Cole :

— Qui est Jonas?

— Jonas Wilson, son mari.

— Et Bill Fenton?

— Bill est mort.

Tout en parlant, Cole agitait la main pour répondre aux saluts que lui adressaient les femmes et les enfants qui sortaient sur les vérandas et dans les jardins.

— Tu as été absente pendant trois ans, Joanna, murmura-t-il. Les choses changent, tout comme les gens.

— Ton père aussi?

Sans répondre, Cole mit pied à terre.

— Descends, ordonna-t-il.

Joanna ne put qu'obéir. Elle ne pouvait décemment pas se révolter devant tous ces badauds... Par ailleurs, sa surprise était telle qu'elle ne savait que dire.

A pied, en tenant leurs chevaux par la bride, ils remontèrent la rue. Ils n'avançaient guère car ils étaient arrêtés à chaque instant par des gens qui voulaient leur dire bonjour.

Joanna reconnaissait la plupart d'entre eux, et en même temps, elle avait la curieuse impression d'être devenue une étrangère. Elle était partie, les abandonnant... et Cole avait continué la tâche qu'elle avait entreprise. Jamais elle n'aurait pensé son ex-mari capable d'altruisme. Ce qu'elle avait sous les yeux en ce moment lui prouvait pourtant à quel point elle l'avait mal jugé.

En fait, son retour à Tidewater changeait sa façon de voir les choses. Elle ne cessait de se remémorer le passé, de regretter avec amertume ce qui avait été — et ce qui aurait pu être s'ils avaient fait l'un et l'autre preuve d'un peu plus de compréhension.

Soudain, Cole s'arrêta devant un bâtiment à un étage, nettement plus imposant que tout ce qui l'entourait.

— Alors? Que penses-tu de cela? demanda Cole d'une voix neutre.

Joanna aperçut alors une plaque apposée sur le mur du bâtiment. *Dispensaire Nathan Smith*, lut-elle. Aussitôt, sa gorge se noua.

— Cole... Tu as...

— Non. Je n'ai rien fait. C'est l'œuvre de mon père.

Il haussa les épaules.

— Mais à l'origine, c'était ton idée. Un dispensaire à Palmer's Point? Personne n'avait jamais pensé à cela. Tout le monde s'en moquait... Bon! Tu entres visiter?

La marée était basse quand ils arrivèrent sur la plage. Pour pouvoir marcher sur le sable, Joanna ôta ses bottes et les attacha au pommeau de sa selle.

Ils n'avaient pas échangé un mot depuis qu'ils avaient quitté le dispensaire. Joanna avait peine à imaginer qu'un homme orgueilleux et aussi peu charitable que Ryan Macallister ait pu fonder un dispensaire. Et il y avait plus étonnant encore ! Il avait été jusqu'à lui donner le nom de son fils illégitime !

Il était donc prêt à tout pour retrouver la confiance de Cole ? Joanna jeta un coup d'œil subreptice à ce dernier. Pourquoi le père et le fils étaient-ils devenus des étrangers l'un pour l'autre — presque des ennemis ? Y avait-il eu d'autres raisons que la mort de Nathan pour les séparer ?

— A quoi penses-tu ? demanda-t-elle à brûle-pourpoint. Je dois dire que je suis pleine d'admiration. Penser que ton père a fait une chose pareille !

— Depuis qu'il se sait perdu, son caractère a changé, Joanna.

— Quelle terrible épreuve !

Même si elle n'éprouvait guère de sympathie pour Ryan Macallister, Joanna ne pouvait s'empêcher de le plaindre.

Cole lui adressa un regard surpris.

— Tiens ! Tu te laisses attendrir ? Attention, Joanna ! Si tu continues, tu vas oublier toutes tes résolutions et me dire enfin pourquoi mon père t'a fait venir...

A pas lents, Joanna s'approcha de l'eau. Les premières vagues léchèrent doucement ses pieds. Pourquoi ne pas parler franchement à Cole ?

— Il veut que j'essaie de te raisonner, déclara-t-elle enfin. Du fond du cœur, il désire que tu redeviennes comme avant : un fils aimant, dévoué... Apparemment, vos relations ne sont plus ce qu'elles étaient. Si tu me révélais pourquoi ?

— Non.

Joanna poussa un profond soupir. A cette allure, ils n'iraient pas loin ! Et elle n'avait pas encore réussi à parler à Cole de Charley et de Billy Fenton.

L'air maussade, Cole s'éloigna. Joanna le suivit des yeux, oubliant de surveiller les vagues. L'une d'elles, plus forte que les autres, l'aspergea presque jusqu'à la taille.

— Attends-moi! cria-t-elle.

Cole se retourna. Quel démon malin la poussa alors à ôter son bermuda?

— Je t'en prie, Joanna, un peu de tenue! s'exclama Cole d'un ton sec.

Nullement décontenancée, elle posa son bermuda sur la selle.

— Je suis trempée, Cole.

Son slip de coton blanc était aussi décent qu'un maillot. Mais Cole ne semblait pas de cet avis.

— Où te crois-tu? Nous sommes en Caroline du Sud! Pas sur la Côte d'Azur!

D'un geste brusque, il saisit le short et le lança à la jeune femme.

— Ça va sécher sur toi. Remets-le.

Mais elle l'étendit de nouveau sur la selle.

— Ça séchera plus vite comme ça, déclara-t-elle.

Cédant à une soudaine impulsion, elle courut se jeter dans les vagues.

— Tu viens te baigner? L'eau est si bonne...

— Joanna!

Refusant de l'écouter, elle plongea. C'était peut-être le dernier jour qu'ils passaient ensemble et — même si c'était stupide — elle voulait qu'il se souvienne de ce moment-là.

— Allons, viens!

Délibérément, elle défit un bouton de son chemisier, révélant un creux d'ombre entre ses seins.

— Tu es devenu un vrai rabat-joie! cria-t-elle. Tu n'aimes plus l'imprévu? As-tu oublié dans quelle tenue nous prenions des bains de minuit à Tahiti, pendant notre voyage de noces? Tu n'étais pas si pudibond à l'époque!

Sans même ôter ses bottes, Cole entra dans l'eau à son tour... Joanna n'eut pas le temps de fuir. Déjà, il l'avait saisie à bras-le-corps pour la ramener vers la plage.

— Pas de ces petits jeux avec moi, Joanna! Tu es complètement folle. Mais qu'essaies-tu de prouver?

Joanna hésita. Ce qu'elle essayait de prouver? A vrai dire, elle l'ignorait. Elle ne savait qu'une chose : elle désirait Cole comme au premier jour. Et cela, malgré les drames passés, malgré l'avenir incertain... Malgré tout.

— Cole, je...

Il la contempla longuement. En cet instant, toute trace de colère avait disparu de son visage, et il paraissait anxieux, tourmenté...

— Oui?

— Pardon, murmura-t-elle. Je ne voulais pas te fâcher.

Sans trop savoir ce qu'elle faisait, elle s'approcha et voulut essuyer les gouttes d'eau qui brillaient sur la joue de son ex-mari.

— Attends, Cole. Je...

— Ne me touche pas!

Sans douceur, il la repoussa, et elle tomba à la renverse. Aussitôt, il se précipita et s'agenouilla près d'elle.

— Excuse-moi, Joanna. Je t'ai fait mal?

— Non. Seul mon orgueil en a pris un coup, répondit-elle avec un sourire forcé. Dire que je n'ai même plus le droit de te toucher!

— Tu en avais envie?

Il ne s'était pas encore relevé. Leurs visages étaient tout proches. Intensément troublée, Joanna voulut se mettre debout, et pour cela, elle prit appui sur le genou de Cole...

Quand il lui saisit la main, elle crut que c'était pour la repousser. Alors, lui agrippant les doigts, elle les porta à ses lèvres...

— Joanna, je t'en prie!

Mais déjà, elle ne l'écoutait plus. Sans réfléchir, elle se jeta dans les bras de Cole, et ils tombèrent tous deux dans le sable. Lorsque Cole la saisit par les épaules, elle crut qu'il allait la repousser une nouvelle fois. Mais au lieu de cela, il l'étreignit avec fougue.

13.

La sonnerie stridente du téléphone réveilla Joanna. Elle faillit décrocher. Déjà, sa main était sur le récepteur. Mais presque aussitôt, elle se laissa retomber sur les oreillers.

Qui pouvait l'appeler ? Sa mère, probablement. Ou bien Grace. Que ce soit l'une ou l'autre, elle ne tenait pas à leur parler.

La sonnerie se tut enfin. Joanna jeta un coup d'œil à son réveil. De là où elle était, elle ne parvenait pas bien à lire les chiffres inscrits sur le cadran. Etait-il 10 h 30, ou bien 11 h 30 ?

De toute manière, quelle importance ? Rien ni personne ne l'attendait, et elle n'avait pas envie de se lever.

Ses yeux firent le tour de la chambre dans laquelle le soleil matinal pénétrait à flots. C'était une pièce très agréable donnant sur des jardins. Elle l'avait elle-même tapissée de ce papier au motif discret. Et elle avait hanté les salles de vente et les brocantes pour trouver ces solides meubles datant de l'époque victorienne. Elle ignorait alors qu'elle retrouverait le même genre d'ameublement chez son mari…

Lorsqu'elle avait épousé Cole, elle voulait vendre

cet appartement. Grace l'en avait dissuadée, affirmant qu'il s'agissait d'un très bon investissement et que l'on ne savait jamais ce qui pouvait arriver.

Prévoyait-elle déjà que le mariage de son amie serait un échec? Comme le sien?

En tout cas, Joanna s'était souvent félicitée d'avoir suivi les conseils de Grace. D'ailleurs, elle aurait dû l'écouter plus souvent! Par exemple le jour où elle lui avait téléphoné des Bahamas pour lui apprendre qu'elle avait décidé d'accompagner Cole à Tidewater... Grace lui avait alors rappelé combien elle était vulnérable.

En soupirant, la jeune femme cacha son visage sous le drap. Le souvenir de cette matinée sur la plage ne cessait de la hanter. Pourquoi avait-elle provoqué Cole? Si elle ne s'était pas jetée dans ses bras, elle aurait au moins réussi à sauvegarder son amour-propre.

Quant à lui... Eh bien, il avait pris ce qu'on lui offrait. Comment un homme normalement constitué aurait-il pu résister?

Un peu plus tard, Ben les avait découverts. Dévorée de honte, Joanna laissa échapper un bref gémissement. Heureusement, Ben était arrivé quand les apparences étaient sauves! Malgré tout, il avait certainement deviné ce qui venait de se passer sur cette plage déserte.

Il les avait cherchés partout dans la propriété. Ryan Macallister, victime d'un infarctus, venait d'être transporté d'urgence à l'hôpital de Beaumaris.

Au cours des jours qui suivirent, toute la maisonnée se trouva désorganisée... Margaret et ses enfants faisaient sans cesse la navette entre Tidewater et l'hôpital de Beaumaris où Ryan Macallister se débattait entre la vie et la mort.

De son côté, Joanna se sentait inutile. Cole l'ignorait. Margaret Macallister la traitait en intruse. Même Charley n'avait plus une seconde à lui consacrer.

Les repas étaient servis à des heures irrégulières. La plupart du temps, il n'y avait qu'un buffet dans la salle à manger et chacun se servait au moment qui lui convenait.

Un soir, Joanna décida d'aller trouver Cole et de lui annoncer sa décision de partir.

Elle trouva son ex-mari dans la bibliothèque. Assis derrière le bureau de son père, il examinait les dernières factures reçues. Avant de franchir le seuil, Joanna vérifia une dernière fois que tous les boutons de son chemisier étaient bien fermés... Cet ensemble en indienne imprimée de vert et de noir était sa tenue la plus sage. Elle l'avait choisie exprès, pour que Cole ne pense pas qu'elle cherchait encore à le provoquer.

Joanna s'éclaircit la voix.

— Cole ?

Lentement, il leva la tête. Et elle lut un tel mépris dans ses yeux qu'elle faillit faire demi-tour et s'enfuir. Mais elle resta. Car si cet homme la haïssait, elle l'aimait toujours — hélas ! Et elle était prête à tout pour qu'il se réconcilie avec son père.

— Je peux te parler ? demanda-t-elle timidement.

— A quel sujet ?

— Je vais partir demain.

— Vraiment ?

— Euh... oui. Il n'y a aucune raison pour que je prolonge mon séjour ici. D'ailleurs, je n'ai pas l'impression que tu souhaites me voir m'éterniser...

— T'ai-je demandé de quitter Tidewater ? Quelqu'un t'y a-t-il poussée ?

— Non, mais...

— C'est toi qui en as décidé ainsi?

— Il faut que je rentre à Londres. Le vernissage...

— Mais bien sûr! Le vernissage! s'exclama Cole d'un ton sarcastique.

Il se leva, fit le tour du bureau et vint se camper devant la jeune femme.

— J'avais oublié que nous hébergions une grande artiste! s'exclama-t-il. L'art avant l'honneur. C'est ce qu'on dit, non?

— Je n'ai jamais entendu une pareille maxime. Mais il ne s'agit pas de cela. Si ma présence était utile à Tidewater, je resterais, bien sûr...

— A ton corps défendant?

— Non! Ecoute, on ne veut pas de moi ici. Je ne t'apprends rien! Aussi mieux vaut que je m'en aille. Avant que...

— ... que mon père ne meure? Et que tu sois obligée de témoigner de la sympathie à sa famille?

Joanna secoua la tête.

— Il ne s'agit pas de cela. Ma place n'est pas ici, c'est évident. Et j'ai l'impression que mon départ arrangerait tout le monde.

— Très bien, dit Cole d'un ton neutre. Je demanderai à Ben de te conduire à Charleston demain.

Sur ces mots, il se rassit. Voyant que Joanna n'avait pas bougé, il la regarda d'un air interrogateur.

— Il y a autre chose?

Comment reconnaître dans cet homme à l'attitude glaciale l'amant passionné qui, la veille, l'avait enlacée sur la plage? Joanna crispa ses mains l'une contre l'autre dans un geste désespéré.

— C'est... au sujet de ton père.

Sans regarder Cole, elle poursuivit d'une voix hachée :

— Tu ne peux pas lui pardonner ? Oh ! Je sais, j'ai parlé de lui en termes très durs dans le passé. Il a commis de terribles erreurs. Mais tu dois essayer d'oublier. Quand... quand l'existence de Nathan a été révélée au grand jour, il a dû paniquer. Bien sûr, il était fâché. Bien sûr, il m'en a voulu de m'être liée d'amitié avec Nathan. C'est à cause de moi que le scandale a éclaté. Ton père ne se rendait pas compte que Nathan était très sensible. Un rien le blessait... Mais personne n'aurait pu prévoir cet accident car il s'agissait d'un accident... D'un horrible accident !

Cole laissa échapper un rire bref.

— C'est pour ça qu'il t'a fait venir ? Il voulait que tu plaides sa cause ? Seigneur ! J'aurais dû deviner !

Joanna baissa la tête. Elle se sentait plus découragée que jamais. Comment Ryan Macallister avait-il pu imaginer que son intervention servirait à quelque chose ? Cole la détestait et n'attachait aucune importance à ses dires.

— Quel dommage qu'il soit trop tard ! s'exclama-t-il.

— Non, il n'est pas trop tard. Pas pour toi, en tout cas. Fais la paix avec lui, je t'en supplie. Si tu ne lui tends pas la main aujourd'hui, tu le regretteras toute ta vie.

Cole ne répondit pas. Que pouvait-elle ajouter ? Rien. Sur la pointe des pieds, elle s'éclipsa. Et il ne chercha pas à la retenir...

Une fois dans sa chambre, elle commença à faire ses valises.

Le lendemain matin, Cole ne se montra pas, et Joanna en fut très déçue... Malgré tout, elle avait espéré qu'il viendrait lui faire ses adieux. C'était donc encore trop demander? A vrai dire, elle comprenait qu'il trouve plus simple de rester invisible jusqu'à ce qu'elle ait quitté la maison.

Ben était en train de mettre les bagages de la jeune femme dans son 4x4 lorsque Margaret s'approcha.

— Alors, vous partez? demanda-t-elle avec une évidente satisfaction. Cole vous a mise dehors?

— Pas du tout.

— Je savais bien que cela se terminerait ainsi, tôt ou tard.

— C'est moi qui suis obligée de rentrer à Londres. J'ai pris moi-même la décision de m'en aller.

— Tout comme vous aviez pris la décision de briser mon foyer et de détruire ma famille? lança Margaret d'une voix dure. Vous savez, Cole ne vous a jamais pardonné tout le mal que vous nous avez fait!

Joanna pâlit.

— Je n'ai jamais essayé de bri...

— Quand je pense à tous les mensonges que vous avez raconté au sujet de Ryan et de cette femme de rien! Le garçon aurait pu être le fils de n'importe qui! Oser prétendre que c'était celui de Ryan... D'ailleurs, il ne lui ressemblait même pas.

Au prix d'un terrible effort, Joanna réussit à garder son calme.

— Vous connaissiez Nathan? Je l'ignorais.

Margaret devint écarlate.

— Je l'ai vu avec vous au bord de la rivière. J'ai jugé de mon devoir de mettre Cole au courant... Ah! Vous étiez bien pressée d'accorder à un autre ce que vous refusiez à votre mari!

— Nathan et moi, nous étions amis! Rien de plus!

— Il y a longtemps que je ne crois plus aux contes

de fées, ma fille! Ici, tout le monde sait ce qui se passait entre ce sale métis et vous! Et ne prenez pas ces airs vertueux! Vous avez été la première à raconter le pire au sujet de Ryan!

Joanna vacilla. Tout se mit à tourner autour d'elle et, l'espace d'un instant, elle crut qu'elle allait s'évanouir. Elle était glacée en dépit de la tiédeur de l'air.

— Ce... ce n'est pas vrai, balbutia-t-elle. Il... il n'y a jamais rien eu entre Nathan et moi! Cole a été le seul homme de ma vie!

Margaret Macallister la poussa dans la voiture.

— Ça n'a plus d'importance maintenant, déclara-t-elle.

Joanna comprit alors que la mère de Cole avait lancé ces accusations en l'air. Parce qu'au fond, elle ne la croyait pas coupable. Mais pour détruire le mariage de son aîné, pour précipiter la rupture avec une femme qu'elle n'avait pas choisie, elle était prête à raconter n'importe quel mensonge.

14.

Depuis son retour à Londres, Joanna n'avait plus de goût à rien. Très déprimée dès le matin, elle ne trouvait jamais le courage de se lever.

Ses parents s'inquiétaient. Grace aussi — d'autant plus que Joanna avait refusé de lui raconter ce qui s'était passé à Tidewater. Pour la première fois depuis qu'elles étaient amies, une barrière invisible s'était élevée entre elles.

Mais Joanna n'avait pas le courage de parler de son séjour à Tidewater. Cela lui faisait trop mal d'y penser. Quant à se confier... Impossible!

Ce qu'elle avait appris au cours de sa dernière conversation avec Margaret Macallister l'avait littéralement assommée. Elle avait toujours pensé que Cole avait utilisé Nathan comme un prétexte pour obtenir le divorce. Comment aurait-elle pu soupçonner que Margaret avait raconté à son fils que Joanna le trompait avec Nathan? Elle comprenait maintenant pourquoi Cole avait réagi aussi violemment en la trouvant avec ce dernier au dispensaire.

A cause de ses calomnies, Margaret Macallister se trouvait en grande partie responsable de l'échec de leur mariage. Persuadé que sa femme lui était infidèle, Cole s'était consolé avec Sammy-Jean... Pouvait-on vraiment lui en vouloir?

Le téléphone se remit à sonner. Le téléphone? Mais non, cette fois, il s'agissait de l'interphone. Quelqu'un était en bas. Grace sans doute. Et, voyant les rideaux tirés, celle-ci *savait* que Joanna se trouvait chez elle. Depuis que la jeune femme avait refusé d'assister au vernissage de sa propre exposition, Grace ne cachait pas son inquiétude.

Résignée, Joanna se leva et se dirigea vers la porte. En proie à une soudaine nausée, elle tituba et se raccrocha au dossier d'une chaise. Elle eut à peine le temps de courir jusqu'à la salle de bains.

Elle tremblait de tous ses membres. Qu'avait-elle pu manger hier pour être à ce point malade? Difficile de rendre responsables une boîte de potage et un peu de pain grillé!

Sa visiteuse avait dû se lasser. La sonnerie s'était enfin tue. Se sentant un peu mieux, Joanna ouvrit en grand les robinets de la douche. A ce moment-là, une pensée la frappa : il y avait exactement six semaines qu'elle était revenue de Tidewater, et...

Refermant les robinets, elle retourna dans sa chambre et feuilleta fébrilement son agenda.

— Mon Dieu! s'exclama-t-elle soudain.

Comment était-il possible qu'elle ne se soit pas rendu compte plus tôt que... Enceinte! Oui, elle était probablement enceinte! Elle qui avait plusieurs fois pensé être stérile! Et l'impossible venait de se produire. Elle attendait l'enfant de Cole!

Cole...

Joanna s'humecta les lèvres. Devait-elle révéler la vérité à son ex-mari? Si elle le mettait au courant, elle risquait de voir Margaret Macallister lui prendre son enfant! Mais comment cacher un pareil événement à Cole? Ce bébé était le sien aussi!

On sonna de nouveau. Cette fois, ce n'était ni le téléphone ni l'interphone, mais la sonnette de la porte d'entrée. Grace avait réussi à pénétrer dans l'immeuble.

Après le choc qu'elle venait de recevoir, Joanna n'avait aucune envie de bavarder — même avec sa meilleure amie. Mais Grace devait s'impatienter...

En traînant les pieds, Joanna se dirigea vers la porte d'entrée. Déjà, sa main était sur le verrou quand une sorte d'intuition la retint. Dans une grande ville comme Londres, on ne savait jamais qui venait frapper à la porte des femmes seules. Mieux valait se méfier...

— Grace? C'est toi?

— Non. C'est Cole.

Joanna, qui pensait qu'elle n'entendrait plus jamais cette voix aux intonations à la fois chaudes et rauques, se demanda si elle ne rêvait pas.

— Cole? Mais...

— Ouvre-moi!

En proie à une faiblesse soudaine, la jeune femme s'adossa à la porte.

— Joanna! Tu m'entends?

Que faisait-il ici? Et juste au moment où elle venait de se rendre compte qu'elle était enceinte!

— Joanna, que se passe-t-il? Tu es malade?

Elle eut soudain envie de rire. « On n'est pas malade parce qu'on attend un bébé! » songea-t-elle.

— Allons, ouvre! J'ai à te parler.

— A... à quel sujet?

— Fais-moi entrer et je te le dirai. Je t'en prie,

c'est important. Si tu crois que j'ai entrepris un pareil voyage pour discuter par un trou de serrure !

En voyant sa chemise de nuit chiffonnée, Joanna fit la grimace.

— Je... je ne suis pas encore habillée, murmura-t-elle.

Il se mit à marteler le battant à coups de poing.

— Même si tu es complètement nue, je m'en moque ! Je ne suis pas venu prendre le thé, mais te parler ! Tu entends ? *Te parler* ! Alors, tu ouvres ?

Joanna comprit qu'il ne céderait pas. Vaincue, elle haussa les épaules.

— Donne-moi cinq minutes. Le temps que je me mette quelque chose sur le dos.

— Et qu'est-ce que je fais pendant ce temps-là ?

— Tu attends.

— A la porte ?

— Assieds-toi sur une marche.

Le laissant jurer sur le palier, Joanna courut s'enfermer dans la salle de bains. A aucun prix Cole ne devait la voir dans cet état ! En hâte, elle prit une douche, puis elle enfila un pantalon noir et une tunique de soie abricot. Comme elle n'avait pas le temps de se maquiller, cette chaude couleur rehausserait un peu la pâleur de son teint...

Laissant ses cheveux libres sur ses épaules, elle alla ouvrir à Cole.

— Enfin ! s'écria-t-il en pénétrant dans l'appartement.

Il dominait Joanna de toute sa taille. La jeune femme regretta d'être restée pieds nus. Si elle avait mis des sandales à talons, elle aurait gagné quelques centimètres...

Cole n'aurait pas pu choisir un plus mauvais

momen pour lui rendre visite. Elle n'avait pas encore eu le temps de décider si elle lui parlerait du bébé.

Presque timidement, elle leva les yeux vers lui et constata non sans étonnement qu'il avait changé. En quelques semaines, il paraissait avoir vieilli d'au moins dix ans. Et il avait maigri, aussi... La mort de son père avait ébranlé cet homme fort. Car Ryan Macallister ne devait plus être de ce monde. C'était certainement cette nouvelle qu'il venait lui annoncer.

A Tidewater, Cole portait presque toujours des vêtements de sport ou de style décontracté. Le costume gris foncé qu'il avait mis ce matin-là lui donnait un genre très différent. Comme il paraissait lointain... Joanna avait peine à trouver des points communs entre cet homme à l'élégance classique et son amant passionné de la plage.

Quand leurs yeux se rencontrèrent, la jeune femme eut l'impression de recevoir un choc. Dans les prunelles très bleues de Cole, elle lisait un désespoir sans nom.

Pour rompre le silence, elle se mit à bavarder à tort et à travers.

— Comment vas-tu? As-tu... as-tu fait bon voyage? Je... j'avoue que je ne m'attendais pas à recevoir ta visite ce matin.

— Grace m'a dit que tu étais malade.

— Moi? Pas du tout.

— Tu ne travailles plus. Pour que tu ne peignes plus, il faut que tu sois malade!

Joanna réussit à rire.

— C'est vrai que j'ai momentanément abandonné mes pinceaux... Mais ne prétends pas que ça t'intéresse!

— Justement, si! Grace...

— ... a eu l'idée saugrenue de te téléphoner pour t'apprendre que je ne faisais plus rien depuis mon retour à Londres? La connaissant, je ne serais pas étonnée qu'elle t'ait rendu responsable de ma paresse. C'est ridicule! J'espère que tu n'es pas venu spécialement en Angleterre pour me faire la leçon, parce que tu as perdu ton temps. Tu peux dire à Grace que je me remettrai au travail quand j'en aurai envie.

— Il paraît que tu n'as même pas assisté à ton vernissage.

— Et alors?

Joanna commençait à se fâcher. Elle avait déjà assez de problèmes sans que Grace et Cole ne s'en mêlent!

— Grace se fait du souci à ton sujet, murmura-t-il. Et moi aussi.

La jeune femme laissa échapper un rire sarcastique.

— Toi?

— Je pensais que tu serais contente de me voir.

— C'est Grace qui t'a raconté ça?

— Oh! Assez avec Grace! s'écria-t-il avec colère. Tu crois vraiment que c'est à cause d'elle que je suis ici?

— Je... je suis désolée, Cole. Je comprends que ce soit très dur pour toi.

Une expression de surprise se peignit sur les traits de Cole.

— De quoi parles-tu? demanda-t-il.

— De ton père. Je ne l'aimais pas beaucoup, mais je ne lui souhaitais pas...

— De mourir? Tes condoléances sont un peu prématurées.

— Parce que...

— Parce qu'il est bien vivant. Une rémission presque miraculeuse...

— Grace ne m'avait pas mise au courant!

— Elle ne savait rien jusqu'à ce que je le lui apprenne — voici environ une heure. D'ailleurs, tu ne lui avais même pas dit que mon père avait eu un infarctus.

— Je ne l'ai pas vue souvent depuis mon retour. J'avais...

— Trop de travail?

— Il n'y a pas que la peinture dans ma vie, dit-elle d'un ton de défi.

— Non?

Cole la regardait d'un air accusateur. A quoi s'attendait-il? A ce qu'elle l'accueille à bras ouverts? Joanna n'avait pas oublié la manière glaciale dont il l'avait reçue, quelques semaines auparavant, lorsqu'elle lui avait annoncé son intention de quitter Tidewater.

— Qu'as-tu à me dire, Cole? Je suis sûre que tu n'as pas fait un aussi long voyage pour m'apprendre que ton père était de retour à la plantation.

— Il n'est pas revenu à Tidewater.

Cette conversation mettait Joanna de plus en plus mal à l'aise. Cmme elle regrettait que Grace ne lui ait pas annoncé la venue de Cole! Mais peut-être avait-elle essayé de la joindre... Le téléphone n'avait pas arrêté de sonner ce matin.

Soudain, Joanna perdit patience.

— Tu n'as rien à faire ici! s'écria-t-elle. Pourquoi as-tu forcé ma porte? Pourquoi...

Cole la saisit par le bras et la secoua sans douceur.

— Ecoute, nous nous sommes suffisamment disputés dans le passé. Nous n'allons pas recommencer aujourd'hui !

— Oui, il y en a eu des scènes. Et j'en suis responsable, je suppose ?

— Non. Tout est ma faute.

La colère de Joanna tomba aussi vite qu'elle était montée. Avait-elle bien entendu ?

— Je n'aurais pas dû croire tous les mensonges que ma mère racontait, reprit Cole. Mais quand on est amoureux, on perd sa faculté de jugement... et on est si vulnérable !

— Quand... quand on est amoureux ? balbutia Joanna, n'osant en croire ses oreilles.

— J'étais amoureux de toi. Je le suis toujours, d'ailleurs. Sais-tu pourquoi j'en voulais tant à mon père ? Parce que, tout en sachant que tu étais la femme de ma vie, il a œuvré pour nous séparer. Lui et ma mère nous ont fait beaucoup de mal. Je suis venu t'expliquer tout cela, Joanna.

La jeune femme se mit à trembler. Ses jambes ne la portaient plus et elle craignit de s'évanouir.

— Je... je ne me sens pas très bien.

Cole la souleva sans effort et la transporta sur le canapé.

— Je suis vraiment une brute ! Grace m'avait dit que tu étais malade...

— Pas du tout. C'est... la chaleur.

— Ou ce que je viens de te dire.

Cole se percha sur l'accoudoir du canapé. Puis il dénoua sa cravate et la jeta sur la moquette.

— J'aurais dû te préparer...

Joanna passa la main sur son front moite dans un geste égaré.

— Pourrais-je avoir un verre d'eau, s'il te plaît ?

Je n'ai encore rien mangé ce matin et... et je me sens bizarre.

— Tu n'as pas pris ton petit déjeuner? Attends!

L'instant d'après, il avait disparu dans la cuisine. Joanna ferma les yeux, tentant de recouvrer ses esprits. Jamais elle ne s'était sentie aussi lasse de sa vie.

Cole revint dix minutes plus tard avec un plateau sur lequel il avait posé une tasse de café et deux toasts beurrés. Bien sûr, il connaissait cette cuisine! N'avaient-ils pas vécu ici ensemble? Avant leur mariage... Avant que le piège de Tidewater ne se referme sur eux.

Cole posa le plateau sur une table basse.

— Tu peux t'asseoir? demanda-t-il avec sollicitude.

— Je ne suis pas invalide!

Il lui tendit la tasse.

— Je t'ai mis du lait mais pas de sucre. Tu vois, je n'ai rien oublié.

— Merci...

Après avoir grignoté un toast et bu quelques gorgées de café, Joanna se sentit un peu mieux.

— Tout ce que tu as dit... Est-ce vrai? demanda-t-elle.

— J'ai dit beaucoup de choses. Et je n'en suis pas fier...

— Je parlais de ce que tu venais de m'apprendre. Quand je t'ai demandé pourquoi tu étais venu, tu as répondu que... que tu m'aimais toujours.

— Oui.

— Je ne comprends pas. Quand je suis allée te trouver pour t'annoncer mon départ... Tu te souviens, tu étais dans la bibliothèque...

— J'ai honte de la manière dont je me suis conduit, déclara-t-il. Je m'en voulais d'être aussi faible. Comment pouvais-je encore t'aimer et te désirer, après tout le mal que tu m'avais fait ? J'ai voulu te blesser à ton tour.

— Oh ! Tu as réussi !

— Si tu savais à quel point je m'en suis voulu quand j'ai compris qu'il n'y avait rien eu entre toi et Nathan !

Elle le fixa droit dans les yeux.

— Il n'y a jamais rien eu, je te le jure.

— J'avais commencé à avoir des doutes au sujet d'une éventuelle liaison entre vous il y a bien longtemps. Mais à cette époque, il était impossible d'avoir une conversation sérieuse avec toi. Tu refusais de m'écouter. Nathan venait de mourir et tu haïssais tout le monde...

— Pas toi !

— J'en avais pourtant bien l'impression !

Comme pour lui-même, il poursuivit à mi-voix :

— Après ton départ, le temps aidant, j'ai réussi à me convaincre que tu étais coupable.

— Qui t'a fait changer d'avis ?

— Ben. Il a entendu ce que maman te disait l'autre jour. Elle a prétendu t'avoir vue avec Nathan. Ben m'a répété mot pour mot votre conversation. Ce que tu ignores, c'est que maman ne m'a jamais parlé de toi et de Nathan. Ses méthodes étaient plus raffinées. Elle m'envoyait des lettres anonymes...

— Comment as-tu deviné qu'elle en était l'auteur ?

— Je l'ai forcée à le reconnaître. Elle a eu alors le front de déclarer qu'elle avait agi pour mon bien !

Sidérée, Joanna ne savait plus quoi dire.

— Vois-tu, elle était au courant de la liaison de mon père avec Sarah, reprit Cole. Elle connaissait aussi l'existence de Nathan. L'esprit de vengeance l'animait, mais elle ne pouvait rien entreprendre sans encourir les foudres de mon père. Quand elle s'est aperçue que tu avais rencontré Nathan, elle a trouvé le moyen de...

— ... faire d'une pierre deux coups!

Un long frisson parcourut Joanna.

— Comment pouvait-elle lui en vouloir? Il n'était en rien responsable de cette situation.

— Il n'avait qu'un seul tort : celui d'exister, murmura Cole.

— Pauvre Nathan!

— Oui, pauvre Nathan... Joanna, me pardonneras-tu jamais? Si je n'avais pas ajouté foi à tous ces mensonges, nous n'aurions pas divorcé, nous...

— Et Sammy-Jean? Tu l'as épousée!

Cole baissa la tête.

— Et cela me condamne définitivement à tes yeux, n'est-ce pas? Lorsque nous nous sommes séparés, il y a trois ans, j'ai perdu le goût de vivre. Tout m'était égal... Mes parents souhaitaient que j'épouse Sammy-Jean, alors je l'ai épousée.

— L'aimais-tu?

— Si je l'aimais, c'est elle que j'aurais épousée cinq ans auparavant.

— Oh, Cole! Quel gâchis...

— Oui. J'avais rêvé que tout était encore possible. Que tu me pardonnerais, que tu m'aimais peut-être toujours un peu... Mais je me rends compte que j'ai trop attendu. Et tout perdu. Alors je préfère m'en aller.

15.

Stupéfaite, Joanna regarda Cole s'éloigner. Il était déjà à la porte quand elle recouvra ses esprits. D'un bond, elle traversa la pièce et se jeta dans ses bras.

— Pourquoi as-tu attendu si longtemps? Pourquoi! Oh! Cole, si tu savais comme j'étais malheureuse! Si...

Il l'étreignit passionnément.

— Joanna, mon amour! J'aurais voulu te suivre. Mais il me fallait d'abord mettre mille choses au point. Pour que tu saches ce que je pouvais t'offrir...

— Le plus important, c'est que nous soyons ensemble et que tu m'aimes. Le reste ne compte pas.

— C'était ce que je pensais aussi... autrefois. Je me trompais. Le reste a son importance. Mais j'étais trop égoïste et trop jaloux de ton travail pour m'en rendre compte.

— Cole...

— Ecoute-moi! J'ai eu tort de t'obliger à vivre avec les miens. Et j'ai eu tort de t'empêcher de poursuivre ta carrière artistique.

Avec une infinie douceur, il lui caressa la joue.

— Cela ne se reproduira plus, je te le jure.

Après lui avoir effleuré les lèvres d'un baiser, il poursuivit :

— Si tu ne veux pas retourner à Tidewater, nous vendrons le domaine. Je peux résider en Angleterre si c'est ce que tu désires.

— Vendre Tidewater ? s'écria Joanna. Mais... et tes parents ?

— Le domaine doit me revenir un jour de toute façon. Mon père vit maintenant à Charleston, dans une maison de santé. Il sait qu'il ne pourra jamais retourner à Tidewater. Sandy et les jumelles habitent chez Joe et Alicia pour le moment. Quant à maman, elle a décidé que, quoi qu'il arrive, elle resterait à Charleston. Au fond, elle préfère la vie citadine...

— Plus personne n'habite à Tidewater ?

— Si, Ben. Et les domestiques, bien sûr.

Cole resserra son étreinte.

— Si tu acceptes de m'épouser... une seconde fois, je te laisserai tout décider. De l'endroit où nous vivrons, du temps que tu souhaiteras consacrer à ta peinture... Je t'aime et je suis prêt à tout pour ne plus te perdre.

— Cole...

Ivre de bonheur, Joanna lui offrit ses lèvres.

Joanna se lova contre Cole avec un petit soupir sensuel.

— Tu es insatiable, tu sais ! murmura-t-elle.

— J'ai faim... faim de toi !

— Et moi, j'ai faim de saines nourritures terrestres. As-tu vu l'heure ? Il est plus de midi.

— Allons faire un tour à la cuisine...

Joanna esquissa une petite moue.

— Je n'ai guère de provisions, déclara-t-elle. J'étais dans un tel état de dépression depuis mon retour à Londres que je ne mangeais presque plus rien...

— Pardon, mon amour. J'espère ne plus jamais te faire de peine. Veux-tu que nous allions au restaurant ?

— Bonne idée ! s'exclama Joanna.

Son ton devint sérieux, presque grave.

— Mais avant de sortir, j'ai à te parler, Cole.

— C'est fait ! Que reste-t-il à dire ?

— Il existe un point important que nous n'avons pas encore eu le temps d'aborder.

— J'y suis ! C'est au sujet de Sammy-Jean, n'est-ce pas ? Il faut que tu comprennes. J'étais fou de jalousie parce que j'imaginais que...

— Non, il ne s'agit pas de Sammy-Jean.

— De Charley, alors ? Je sais ce que tu vas me dire. Elle t'a demandé de plaider sa cause. Mais elle est bien trop jeune pour songer à se marier !

Joanna se sentit envahie de remords. Après avoir promis à Charley de l'aider, elle était partie sans penser une seconde aux problèmes de l'adolescente.

— Elle t'a parlé de Billy Fenton ? demanda-t-elle, surprise.

— Oui. Maman voulait l'obliger à rompre. Je me suis montré moins intransigeant, et je lui ai dit qu'elle pouvait continuer à le voir, mais qu'elle devait poursuivre ses études. Pas question qu'elle ait des regrets plus tard !

— Tu as bien fait. Quant à nous...

— Je te le répète, Joanna ! C'est toi qui décideras de tout ! Pourquoi parais-tu si inquiète ?

— Ecoute, je suis prête à vivre à Tidewater. Parce

que je pense que nos enfants devraient naître et grandir là-bas.

— Nos enfants... Tu crois que nous pourrons en avoir un jour?

— J'en suis sûre.

— De toute façon, c'est toi qui comptes avant tout. Et si tu ne veux pas de bébé... eh bien, tant pis!

— Tu penses toujours que je prenais des contraceptifs?

— Non, plus maintenant. Je me suis dit qu'il y avait un problème et que nous ne pouvions pas avoir d'enfants.

— Et si nous pouvions en avoir, quelle serait ta réaction?

— Voilà une étrange conversation!

— C'est parce que je... je crois être enceinte.

La stupéfaction, l'incrédulité, la joie se succédèrent sur le visage de Cole.

— Tu... tu as vu un médecin? demanda-t-il enfin.

— Pas encore. Je viens à peine de m'en rendre compte. Cinq minutes avant que tu ne sonnes à la porte, tu imagines? Es-tu content?

— Content! Mais je suis fou de joie! Le bébé a dû être conçu...

— ... un beau matin, sur la plage.

Cole éclata de rire.

— Je t'aime, Joanna.

— Moi aussi, je t'aime...

Il faisait très chaud à Tidewater. Mais Joanna était désormais habituée à la chaleur... Il y avait maintenant deux ans qu'elle avait de nouveau épousé Cole et qu'elle était revenue vivre en Caroline du Sud.

Et elle ne manquait pas de travail avec un petit Nathan de dix-huit mois et un autre bébé en route! De plus, il fallait tout préparer pour l'arrivée de Grace et de Ray Marsden, qui venaient passer une partie de leur voyage de noces à Tidewater.

Joanna était sûre que Grace allait lui demander si la série d'aquarelles promises était terminée. A vrai dire, non... La peinture ne représentait plus le moteur de son existence. Cole et le petit Nathan passaient avant tout.

Elle avait eu un peu de mal à s'adapter, au début. Revenir à Tidewater en tant que maîtresse de maison, faire face à ceux qui lui avaient nui autrefois... Mais le temps cicatrisait les vieilles blessures. Ryan Macallister l'avait accueillie avec plus de chaleur qu'elle ne l'aurait jamais imaginé. Ils étaient presque devenus amis avant que le vieil homme ne s'éteigne tout doucement.

En revanche, la mère de Cole avait eu beaucoup plus de mal à admettre le retour de Joanna à Tidewater. Mais la naissance du bébé avait amélioré bien des choses... même si le prénom choisi avait été la cause d'une petite scène.

En revanche, Sarah n'avait pas caché sa joie lorsqu'on lui avait annoncé que le petit-fils de l'homme qu'elle avait aimé s'appellerait Nathan. Comme son propre fils...

Sarah tenait maintenant une confortable pension de famille à Beaumaris. Joanna avait appris avec émotion que c'était Cole qui l'avait aidée à monter cette affaire.

Les jumelles et Sandy étaient trop jeunes pour être au courant des drames d'antan. Quant à Ben et à Joe, ils se montraient très aimables avec leur belle-sœur.

Même Alicia, la femme de Joe, avait consenti à faire des efforts. Son bébé était né quelques semaines avant celui de Joanna, si bien qu'elle se permettait de lui donner des conseils.

Joanna l'écoutait en souriant, bien décidée de toute façon à n'en faire qu'à sa tête. Tout cela avait si peu d'importance... Ce qui comptait, c'était de rendre Cole heureux, de l'aimer, de...

Joanna en était là de ses réflexions quand Cole la rejoignit dans la chambre d'ami.

— Je te cherchais partout, ma chérie. Que fais-tu ici?

— Je prépare la chambre de Grace...

D'un geste très tendre, Cole l'enlaça.

— Surtout, ne te fatigue pas...

— Aucun risque! A propos, je te croyais à Charleston avec Ben!

— Nous y sommes allés. Et j'ai acheté un poney pour Nathan. As-tu le temps de venir le voir maintenant?

— J'ai toujours du temps pour toi. Mais toi, as-tu du temps pour moi?

Il l'étreignit passionnément.

— Oh! Joanna, comment ai-je pu vivre tant d'années sans toi?

Lui offrant ses lèvres, elle murmura :

— Dépêchons-nous de rattraper les années perdues.

Chère lectrice,

Vous nous êtes fidèle depuis longtemps?
Vous venez de faire notre connaissance?

C'est pour votre plaisir que nous avons imaginé un rendez-vous chaque mois avec vos auteurs préférés, vos AUTEURS VEDETTE *dans les collections* Azur *et* Horizon.

Les AUTEURS VEDETTE *vous donneront rendez-vous pour de nouveaux livres vedette.*

Pour les reconnaître, cherchez l'étoile... Elle vous guidera!

Éditions Harlequin

COLLECTION HORIZON

Des histoires d'amour romantiques qui vous mènent au bout du monde!

Découvrez la passion et les vives émotions qu'apportent à la Collection Horizon des auteurs de renommée internationale!

Captivantes, voire irrésistibles, ces histoires d'amour vous iront assurément droit au coeur.

Surveillez nos quatre nouveaux titres chaque mois!

Composé sur Euroserveur, à Sèvres
PAR LES ÉDITIONS HARLEQUIN
Achevé d'imprimer en septembre 1993
sur les presses de l'Imprimerie Bussière
à Saint-Amand-Montrond (Cher)
Dépôt légal : octobre 1993
N° d'imprimeur : 1947 – N° d'éditeur : 4775

Imprimé en France